convection

Perfection!

...a collection of elegant dishes created especially for simple preparation in your new Convection Range.

RECIPE BOOK

PUBLISHED BY: INGLIS LIMITED, 1901 Minnesota Court, Mississauga, Ontario, L5N 3A7

Copyright 1993

Part No. 9780959

ISBN No. 0-9696643-0-3

Printed in Canada.

SHOWN ON FRONT COVER:
CRANZINI MUFFINS, PAGE 71

WELCOME!

This collection of delicious, simple to prepare recipes will give you a perfect introduction to the versatility of your new convection range, and the many benefits of convection cooking.

In addition to enticing recipes, we have included lots of helpful information, easy to use temperature charts and some taste-tempting photographs, so that this book serves as a complete reference guide for you.

As you become increasingly familiar with your convection range, use the special note pages to add specific information about family favorites that you have converted to convection cooking.

Each of these recipes was carefully developed and perfected in the test kitchen of Inglis Limited. To the many people who contributed their time, talent and tastebuds to the creation of this cookbook, I extend a very special "thank you".

We hope you enjoy discovering Convection Perfection!

Lyn Cook

Lyn Cook, P.H. Ec.

ACKNOWLEDGEMENTS

Inglis Ltd.: Rodger Collins-Wright, Product Manager
Sears Canada Inc.: Emily Bright, National Home Economist
Assistant to L. Cook: Patricia Moynihan-Morris

Design: Saila Design Associates Ltd.
Photography: Peter Nasmith & Company
Translation: Dussault Translation Ltd.
Production & Printing: Del/Charters Litho Inc.

TABLE OF CONTENTS

RECIPE BOOK

INTRODUCTION

Welcome to convection cooking, the ultimate culinary technique that uses fan-circulated hot air to efficiently create delicious meals with appetite appeal.

Convection Perfection is an enticing collection of recipes created especially to help you explore all of the advantages of your new convection oven. Each recipe is accompanied by a simple diagram indicating which element and rack positions will guarantee optimal success. Be sure to consult your User Guide for the individual convection features and procedures of your particular model. At the end of many chapters in this recipe book you will also find a chart that offers you flexibility and ease in converting your own favorite recipes from conventional to convection cooking. The following is a brief introduction to the significant differences you will discover when cooking with your new convection range.

AIR FLOW

The secret to convection cooking lies in maintaining a consistent temperature throughout the oven during the cooking process. The fan-circulated hot air in your convection oven continually distributes heat more evenly than the natural movement of air in a conventional oven. This fundamental difference means food surfaces are cooked on all sides, sealing in natural flavor and moisture. Therefore, avoid blocking the air circulation fan at the rear of the oven with one large dish, as this will interrupt free flow of air throughout the oven. It is important not to cover foods with foil, so that surface areas remain exposed to the moving air. The effective use of circulating air also means that many of your convection creations require shorter cooking times at lower oven temperatures, so you enjoy the added benefits of less time spent in the kitchen, and greater energy savings.

PREHEATING

When preheating the oven is specified in a recipe, normal time is approximately 10 minutes.

MULTI-LEVEL CONVECTION COOKING

An immediate practical benefit of the convection cooking method is that hot air movement allows you to load the oven racks to capacity. For instance, you can bake four loaves of bread as quickly as you might finish two, with outstanding, uniform results. You may choose to cook your main course and side dishes or dessert, at the same time. For greatest success with multi-level cooking, stagger dishes on opposite corners of the oven racks to the ones above and below. Be sure to leave at least one inch (2.5 cm) of space between the individual pans, and the sides of the oven, to promote even heat distribution. The rack diagram shown here is included with each of the recipes that follow. It indicates which convection feature and rack position you should be using for that particular recipe. At the Convection setting, the center element surrounding the fan at the rear of the oven is on. At the Convection/Broil setting, the top element in the oven will heat up. At the Convection/Bake setting, the lower element will be in use. The convection fan should be turned on, or will operate automatically at each convection cooking setting, depending on your particular model. Rack positions number from 1 at the bottom to 5 at the top.

BROIL ELEMENT

CONVECTION ELEMENT   •5 •4 •3 •2 •1   RACK POSITIONS

BAKE ELEMENT

CONVECTION BAKING AND ROASTING

Your convection oven utilizes precise, consistent temperature control to ensure absolutely even baking and roasting results. In particular, foods that require browning are greatly enhanced by the hot air convection cooking method. Depending on the quantities you wish to prepare, convection cooked foods can be positioned on single or multiple racks. When roasting whole poultry or large cuts of meat, you can effectively lower oven temperature settings, and substantially reduce cooking times. You will notice the remarkable difference in convection cooked foods when you slice into the juicy roast turkey shown in the poultry recipes.

CONVECTION BROILING

Convection broiling is essentially high-temperature convection cooking, combining fan-circulated hot air with the direct heat of the broiler element. We recommend preheating your oven first to maintain an even temperature during cooking. Convection broiling times will depend upon the variable temperature selected and the rack position used. Do not cover the broiling rack with tin foil as this will block air flow and extend cooking time. Instead of leaving the door slightly ajar as you would when using a conventional oven, the oven door must remain closed while convection broiling. The circulating air creates a seal on all sides of the food so that turning of foods is often not necessary.

BAKEWARE SELECTION

Selection of the most appropriate bakeware will help you make full use of the outstanding features of your convection range. Bakeware with lower sides allows for constant air circulation around all surface areas of food, for more even cooking. High-sided casserole dishes and bread pans should be positioned on the lower racks in the oven where they will benefit from optimal heat distribution. For the most appetizing browning results, use matte or dull finish metal pans as they conduct heat more efficiently. Dark finishes on bakeware will absorb more heat than reflective surfaces, resulting in darker, crispy bottom crusts more suitable for pies and breads. Shiny muffin tins, cake pans and cookie sheets tend to reflect heat, producing light, tender crusts. Glass, ceramic, and stainless steel dishes may not transmit heat as evenly as metal bakeware.

Now that you are familiar with all the features and potential of your convection range, what will your very first convection creation be? At the beginning of each chapter you will find additional information for different types of food, followed by some tempting recipes to get you started. We offer you our best wishes for successful cooking and continued convection perfection!

MEMORABLE MEATS

Convection cooking techniques contribute special appeal to your meat dishes by locking in flavor and retaining moisture. The result is meat that is evenly browned outside, tender and naturally juicy inside. Convection air movement preserves unique flavor combinations, like those found in the Apple Tarragon Stuffed Pork Chops on page 14.

Before roasting or broiling, brush the entire surface of lean meats with butter or oil. This will increase moisture retention and enhance browning. Position cuts of meat, uncovered, on the raised convection roasting rack, so that heat freely reaches all sides.

As you'll see in the chart at the end of this chapter, convection oven methods can conveniently reduce the length of time required to roast meats, in comparison to conventional roasting. Therefore, meat should be checked shortly before the end of recommended cooking times, to avoid over-cooking.

Insert an accurate meat thermometer into the thickest part of the meat, taking care to avoid any bone, fat or gristle. Once the desired internal temperature is reached, remove the meat from the oven and let stand for a few minutes. This allows the juices to settle for easier carving.

The meat recipes that follow offer you an opportunity to experiment with various convection oven settings, for guaranteed memorable results when you start preparing your familiar favorites.

convection
Perfection!

TANGY BARBEQUE SPARERIBS

...a zesty sauce makes these spareribs irresistible!

3-4	lb.	pork spareribs,	1.5-1.8 kg
		cut into serving size pieces	
1		medium onion, chopped	1
3	tbsp.	vegetable oil	45 mL
1	cup	ketchup	250 mL
3/4	cup	water	175 mL
1/3	cup	lemon juice	75 mL
3	tbsp.	brown sugar	45 mL
3	tbsp.	Worcestershire sauce	45 mL
2	tbsp.	prepared mustard	25 mL
1/2	tsp.	salt	2 mL
1/2	tsp.	hot pepper sauce	2 mL

Preparation: Place spareribs in a single layer on convection roasting rack set into broiler pan. • Cook on Convection/Bake at 325°F (160°C) for 45 minutes. • Meanwhile, in a saucepan, sauté onion in oil on medium heat until tender. • Add ketchup, water, lemon juice, sugar, Worcestershire sauce, mustard, salt and hot pepper sauce. Simmer uncovered on low heat for 15 minutes. • Remove spareribs from oven. Drain fat from pan. • Dip ribs in sauce and replace on rack. • Return spareribs to oven and continue to cook. Turn and baste frequently for 35 to 45 minutes, until spareribs are done. • Heat remaining sauce and serve with the spareribs.

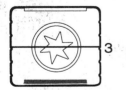
3

Oven Method: Convection/Bake 325°F (160°C) on Rack Position 3.

Oven Time: 1 1/2 hours.

Yield: 4 servings.

RÉVEILLON TOURTIÈRE

...a traditional Christmas Eve meat pie.

1		clove garlic, minced	1	
1		medium onion, finely chopped	1	
2	tbsp.	vegetable oil	25	mL
1 1/2	lb.	lean ground pork	750	g
3/4	cup	water	175	mL
1 1/2	tsp.	dried summer savory	7	mL
1	tsp.	dry mustard	5	mL
1	tsp.	salt	5	mL
1/4	tsp.	celery seed	1	mL
1/4	tsp.	fresh ground pepper	1	mL
3		medium potatoes, cooked and cubed	3	
		Pastry for double-crust 9" (23 cm) pie		
		(see page 92 for pastry recipe)		
1	tbsp.	milk	15	mL

Preparation: Preheat oven on Convection to 350°F (175°C). • In a saucepan sauté garlic and onion in oil on medium heat for about 5 minutes, until onion is soft. • Stir in pork and continue to cook about 10 minutes, until meat is completely cooked. • Add water, savory, dry mustard, salt, celery seed and pepper. Continue to simmer on low heat for about 30 minutes. • Add potatoes to meat mixture and set aside to cool. • In the meantime, on a lightly floured surface, roll out half of the pastry and line a 9" (23 cm) pie plate. • Spoon meat mixture into pie shell. • Roll out remaining pastry and place on top of filling. • Trim edges and flute rim. Cut steam vents into top of pie. Brush pastry lightly with milk. • Bake on Convection at 350°F (175°C) for 45 to 55 minutes, until crust is golden brown. Homemade chili sauce makes a delicious accompaniment.

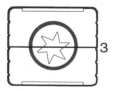

Oven Method: Convection 350°F (175°C) on Rack Position 3.

Oven Time: 45 to 55 minutes.

Yield: 6 servings.

LEMON ROSEMARY ROAST LAMB

...tangy, tender meat in a crackling herb crust.

5	lb.	leg of lamb	2.2	kg
1/4	cup	all-purpose flour	50	mL
2		cloves garlic, minced	2	
1	tbsp.	finely chopped fresh parsley	15	mL
1	tbsp.	finely chopped fresh rosemary	15	mL
		grated rind of one lemon		
1/2	tsp.	salt	2	mL
1/2	tsp.	fresh ground pepper	2	mL
3	tbsp.	fresh lemon juice	45	mL
1	tbsp.	olive oil	15	mL

Preparation: Preheat oven on Convection/Bake to 375°F (190°C).
• Cut 1/2" (1 cm) slits all over the lamb. • In a bowl combine flour, garlic, parsley, rosemary, lemon rind, salt and pepper. Stir in lemon juice and olive oil to make a paste. • Rub mixture over entire surface of lamb, pressing it into all of the slits. • Let lamb stand at room temperature for 30 minutes, or refrigerate, covered, for up to 24 hours. • Place lamb on convection roasting rack set into broiler pan. • Roast uncovered, on Convection/Bake at 375°F (190°C), for 15 minutes. • Reduce temperature to Convection/Bake 300°F (145°C) and continue to roast for about 20 minutes per pound (500 g). Cook until internal temperature on meat thermometer reads 140°F (60°C). • After roasting, remove from oven and cover with foil. Let stand 15 minutes before carving. • If desired, prepare gravy using pan drippings and serve with lamb. • This roast is delicious accompanied with red pepper jelly.

Oven Method: Start at Convection/Bake
375°F (190°C) on Rack Position 2.
Reduce temperature to Convection/Bake
300°F (145°C).

Oven Time: 1 3/4 to 2 hours.

Yield: 6 to 8 servings.

MEDITERRANEAN CROSS-RIB ROAST

...a savory marinade gives this roast enticing flavor.

4-5	lb.	boneless cross-rib roast, rolled and tied	1.8-2.2	kg
1	cup	dry red wine	250	mL
2/3	cup	vegetable or olive oil	150	mL
2	tbsp.	tomato paste	25	mL
2	tbsp.	granulated sugar	25	mL
1	tbsp.	prepared horseradish	15	mL
1	tbsp.	Worcestershire sauce	15	mL
1	tsp.	dried basil	5	mL
1/2	tsp.	dried oregano	2	mL
1/2	tsp.	salt	2	mL
1		clove garlic, crushed	1	

Preparation: Make several deep holes in roast with a metal skewer. • Place meat in a large non-metallic bowl or plastic bag. • Blend together wine, oil, tomato paste, sugar, horseradish, Worcestershire sauce, basil, oregano, salt and garlic. Pour over meat. • Cover bowl or seal bag securely. Refrigerate for 18 to 24 hours. Turn meat several times while marinating. • Remove meat from marinade and place on convection roasting rack set into broiler pan. • Roast uncovered, on Convection/Bake at 300°F (145°C), for 1 1/2 to 2 hours, until a meat thermometer inserted into the center reads 140°F (60°C). • Meanwhile, pour marinade into a saucepan and simmer on low heat for 20 to 30 minutes, until thickened into a sauce. • After roasting, remove roast from oven and cover with foil. • Let stand for 15 minutes before carving. Slice thinly and serve with sauce.

Oven Method: Convection/Bake 300°F (145°C) on Rack Position 2.

Oven Time: 1 1/2 to 2 hours.

Yield: 8 to 10 servings.

APPLE TARRAGON STUFFED PORK CHOPS

...a tasty combination of interesting flavors.

3		green onions, chopped	3
4		mushrooms, thinly sliced	4
1		large apple, peeled, cored and finely chopped	1
2	tbsp.	butter or margarine	25 mL
1	cup	fresh bread crumbs	250 mL
1	tbsp.	chopped fresh parsley	15 mL
1/2	tsp.	dried tarragon	2 mL
1/4	tsp.	salt	1 mL
1/4	tsp.	fresh ground pepper	1 mL
4		boneless center cut pork chops, 1" (2.5 cm) thick	4
1/3	cup	apple jelly, melted	75 mL

Preparation: In a frying pan sauté onions, mushrooms and apple in butter on medium heat for about 5 minutes, until soft. • Remove from heat. Add bread crumbs, parsley, tarragon, salt, and pepper. Mix well. • Cut a slit along the side of each pork chop to form a pocket. • Fill pocket of each pork chop with stuffing mixture. • Place stuffed pork chops on a greased baking sheet. Brush tops with apple jelly. • Cook on Convection/Bake at 350°F (175°C) for 10 minutes. • Turn chops and brush tops with apple jelly again. Continue cooking 5 to 10 minutes more, until meat is no longer pink. • Serve with additional apple jelly if desired.

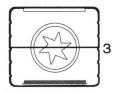

Oven Method: Convection/Bake 350°F (175°C) on Rack Position 3.

Oven Time: 15 to 20 minutes.

Yield: 4 Servings.

CONVECTION MEAT ROASTING CHART

Set Cooking Selections to: CONVECTION/BAKE

R - Rare   M - Medium   WD - Well Done

FOOD	APPROXIMATE COOKING TIME PER LB. (500 g)	RACK POSITION	OVEN TEMPERATURE NOT PREHEATED	INTERNAL TEMPERATURE OF MEAT WHEN COOKED
BEEF				
Standing Prime Rib	R - 20-25 min M - 25-30 min WD - 30-35 min	2	300°F/145°C	140°F/60°C 160°F/70°C 170°F/75°C
Rolled Rib	R - 22-25 min M - 27-30 min WD - 32-35 min	2	300°F/145°C	140°F/60°C 160°F/70°C 170°F/75°C
Rump, Sirloin Tip	R - 20-25 min M - 25-30 min WD - 30-35 min	2	300°F/145°C	140°F/60°C 160°F/70°C 170°F/75°C
Pot Roast (braised)	35-40 min	2	300°F/145°C	170°F/75°C
Meatloaf	20-25 min	2	325°F/160°C	170°F/75°C
VEAL				
Leg, Loin, Rib	M - 25-35 min	2	325°F/160°C	160°F/70°C
Shoulder, Blade	WD - 30-40 min	2	300°F/145°C	170°F/75°C
PORK				
Loin	30-40 min	2	325°F/160°C	170°F/75°C
Shoulder	35-40 min	2	325°F/160°C	170°F/75°C
Tenderloin	25-30 min	2	325°F/160°C	170°F/75°C
HAM				
Fresh (uncooked)	25-35 min	2	300°F/145°C	170°F/75°C
Pre-cooked	15-20 min	2	300°F/145°C	140°F/60°C
LAMB				
Leg, Shoulder	M - 25-30 min WD - 30-35 min	2 2	300°F/145°C	160°F/70°C 170°F/75°C
Rib, Rack, Loin	M - 20-25 min WD - 25-30 min	2 2	300F/145°C	160°F/70°C 170°F/75°C

MEATS

NOTES

PERFECT POULTRY

Convection roasted poultry is juicy, crisp-skinned and uniformly golden. For a delicious example of the incredible difference that circulated air brings to poultry cooking, take a look at the Roast Turkey recipe on page 18.

Convection broiling at variable oven temperatures allows you to determine how quickly or how gently you can broil poultry. You'll appreciate this particular feature when preparing the Spicy Chicken Breasts on page 23.

Preheating your oven to cook poultry is often not necessary, but we do suggest that you consult your individual recipes first. As you will notice in the chart at the end of this chapter, convection roasting temperatures are generally 25°F (15°C) lower than those used in conventional ovens.

Poultry is completely cooked when an accurate meat thermometer, inserted at the thickest part of the breast or inner thigh, registers 185°F (85°C). The juices will run clear and the meat should pull easily away from the bone.

Glazes or sauces may be brushed onto poultry during the last half of cooking time, for the perfect finishing touch.

convection
Perfection!

ROAST TURKEY WITH TRADITIONAL BREAD STUFFING

...a festive treat prepared in a fraction of the time!

10	lb.	turkey	4.5	kg
1/2	cup	butter or margarine	125	mL
1		large onion, chopped	1	
2	cups	chopped celery, with leaves	500	mL
10	cups	fresh bread cubes	2.5	L
1	tbsp.	Worcestershire sauce	15	mL
1	tbsp.	dried summer savory	15	mL
1/2	tsp.	salt	2	mL
1/2	tsp.	fresh ground pepper	2	mL

Preparation: Preheat oven on Convection/Bake to 375°F (190°C). • Remove giblets and neck from turkey and reserve for other use. • Rinse cavity of turkey and pat dry. Set aside. • In a saucepan combine butter, onion and celery. Sauté on medium heat until vegetables are soft. • Remove from heat and combine with Worcestershire sauce, savory, salt and pepper. • Place bread cubes in a large bowl. Add onion mixture and mix well. • Fill body and neck cavity with stuffing mixture. • Place turkey on convection roasting rack set into broiler pan. • Roast uncovered, on Convection/Bake at 375°F (190°C), for 20 minutes. • Reduce temperature to Convection/Bake 300°F (145°C) and continue roasting for 14 to 16 minutes per pound (500 g), until internal temperature on a meat thermometer reads 185°F (85°C) in the inner thigh, and 165°F (75°C) in the stuffing. • During the last half hour baste with drippings. • After roasting, remove from oven and cover with foil. Let stand 15 minutes before carving. • If desired, prepare gravy from pan drippings to serve with turkey.

Oven Method: Start at Convection/Bake 375°F (190°C) on Rack Position 2. Reduce temperature to Convection/Bake 300°F (145°C).

Oven Time: 2 1/2 to 3 hours.

Yield: 8 to 10 servings.

HONEY MUSTARD TURKEY BROCHETTES

...a tangy, sweet marinade adds a new flavor dimension.

1/2	cup	liquid honey	125	mL
2	tbsp.	Dijon mustard	25	mL
1	tsp.	soy sauce	5	mL
1/4	tsp.	ground ginger	1	mL
1 1/2	lb.	turkey breast, skin and bones removed, cut into 1" (2.5 cm) cubes	750	g
1		large red onion cut into 8 wedges	1	
2		small (or 1 large) zucchini, sliced into 16 rounds	2	
1	tbsp.	sesame seeds	15	mL

Note: If using wooden skewers, soak in cold water for 30 minutes before threading.

Preparation: Preheat oven on Convection/Broil to 400°F (205°C). • In a small bowl combine honey, mustard, soy sauce and ginger. Set aside. • Thread 8 skewers with turkey, onion and zucchini, starting and ending each skewer with turkey. • Brush brochettes with honey mustard mixture and sprinkle with sesame seeds. • Arrange brochettes on convection roasting rack set into broiler pan. • Cook on Convection/Broil at 400°F (205°C) for 10 minutes, then brush brochettes with remaining honey mustard sauce. • Continue to cook for an additional 8 to 10 minutes, until turkey juices run clear.

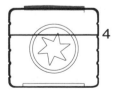 4

Oven Method: Convection/Broil 400°F (205°C) on Rack Position 4.

Oven Time: 18 to 20 minutes.

Yield: 8 brochettes.

CRUNCHY FRIED CHICKEN

...a quick and easy family favorite with a crisp, flavorful coating.

2/3	cup	dry bread crumbs	150	mL
1/3	cup	cornmeal	75	mL
1/3	cup	all-purpose flour	75	mL
1	tbsp.	dried parsley flakes	15	mL
2	tsp.	paprika	10	mL
1	tsp.	celery salt	5	mL
1/2	tsp.	curry powder	2	mL
1/2	tsp.	fresh ground pepper	2	mL
3/4	cup	buttermilk	175	mL
3	lb.	chicken legs and thighs	1.5	kg
2	tbsp.	butter or margarine, melted	25	mL
2	tbsp.	vegetable oil	25	mL

Preparation: In a large bowl or plastic bag combine bread crumbs, cornmeal, flour, parsley, paprika, celery salt, curry powder and pepper. • Pour buttermilk into a shallow dish. • Rinse chicken pieces well and pat dry. • Dip each chicken piece into buttermilk; drain briefly. Coat chicken thoroughly with crumb mixture. • Place coated chicken pieces on a greased shallow-rimmed baking pan. • Combine butter and oil and drizzle evenly over chicken pieces. • Cook on Convection/Bake at 350°F (175°C) for about 45 minutes, until coating is golden brown and chicken juices run clear.

Oven Method: Convection/Bake 350°F (175°C) on Rack Position 3.

Oven Time: Approximately 45 minutes.

Yield: 6 servings.

SPICY CHICKEN BREASTS WITH TOMATO SALSA

...delicious on a crusty bun.

4		skinless, boneless chicken breasts	4	
1	tbsp.	olive oil	15	mL
2	tsp.	paprika	10	mL
2	tsp.	brown sugar	10	mL
1/2	tsp.	cayenne pepper	2	mL
1/2	tsp.	dry mustard	2	mL
1/4	tsp.	salt	1	mL

Preparation: Preheat oven on Convection/Broil to 425°F (220°C). • Lightly brush both sides of chicken breasts with olive oil. • In a small bowl combine paprika, brown sugar, cayenne pepper, mustard and salt. • Sprinkle both sides of chicken breasts with spice mixture. Let stand at room temperature for 30 minutes. • Arrange chicken breasts on convection roasting rack set into broiler pan. • Cook on Convection/Broil at 425°F (220°C) for 12 to 15 minutes, until juices run clear. • After broiling, serve chicken with Tomato Salsa.

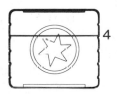

Oven Method: Convection/Broil 425°F (220°C) on Rack Position 4.

Oven Time: 12 to 15 minutes.

Yield: 4 servings.

TOMATO SALSA *Yield:* 1 1/2 cups (375 mL).

2		medium size tomatoes, finely chopped	2	
1/2	cup	finely chopped cucumber	125	mL
1/2	cup	finely chopped green pepper	125	mL
4		green onions, finely chopped	4	
1	tbsp.	chopped fresh cilantro or parsley	15	mL
2	tbsp.	olive oil	25	mL
1	tbsp.	fresh lemon juice	15	mL
		salt and pepper to taste		

Preparation: In a bowl combine tomatoes, cucumber, green pepper, green onions, cilantro, olive oil, lemon juice, salt and pepper. • Set aside to serve with chicken breasts.

GOLDEN GLAZED ROAST DUCKLING

...succulent duckling perfectly complemented with orange-ginger glaze.

4-5	lb.	duckling	1.8-2.2	kg
1		apple, quartered and cored	1	
1/2	cup	orange marmalade	125	mL
1	tsp.	grated orange rind	5	mL
1	tsp.	soy sauce	5	mL
1	tsp.	Dijon mustard	5	mL
1/2	tsp.	ground ginger	2	mL

Preparation: Preheat oven on Convection/Bake to 400°F (205°C). • Remove giblets and neck from duckling and reserve for other use. Rinse duckling, pat dry and remove excess fat. • Place apple quarters inside cavity. Tie legs together. Skewer neck skin to back. Pierce duckling with a fork in several places. • Place duckling on convection roasting rack set into broiler pan. • Roast uncovered, on Convection/Bake at 400°F (205°C) for 30 minutes. • Meanwhile, in a small saucepan combine marmalade, orange rind, soy sauce, mustard and ginger. Cook on low heat until marmalade is melted. Set aside. • Remove duckling from oven and drain fat from pan. • Reduce temperature to Convection/Bake 350°F (175°C). • Baste duckling with half of the glaze and return to the oven to cook for another 30 minutes. Baste again and continue to cook for another 20 to 30 minutes, until duckling is tender when pierced and the skin is dark golden brown. • After roasting, remove duckling from oven and discard apple quarters. Cut duckling into halves or quarters to serve.

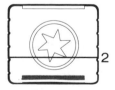

Oven Method: Start at Convection/Bake 400°F (205°C) on Rack Position 2. Reduce temperature to Convection/Bake 350°F (175°C).

Oven Time: 1 1/4 to 1 1/2 hours.

Yield: 2 to 4 servings.

CONVECTION POULTRY ROASTING CHART

Set Cooking Selections to: CONVECTION/BAKE

FOOD	APPROXIMATE WEIGHT	APPROXIMATE COOKING TIME PER LB (500 g)	RACK POSITION	OVEN TEMPERATURE NOT PREHEATED	INTERNAL TEMPERATURE OF POULTRY WHEN COOKED
Chicken, Whole	3 - 5 lb. (1.5 - 2.2 kg)	20-25 min	2	325°F/160°C	185°F/85°C
Parts, Quarters	3 lb. (1.5 kg)	18-25 min	2 or 3	325°F/160°C	185°F/85°C
Turkey, Unstuffed	13 lb. and under (5.85 kg)	10-15 min	2	300°F/145°C	185°F/85°C
	over 13 lb. (5.85 kg)	10-12 min	1 or 2	300°F/145°C	185°F/85°C
Capon, Unstuffed	4 - 7 lb. (1.8 - 3.1 kg)	15-20 min	2	325°F/160°C	185°F/85°C
Domestic Duck	3 - 5 lb. (1.5 - 2.2 kg)	25-30 min then 15 min	2	325°F/160°C 400°F/205°C	185°F/85°C 185°F/85°C
Domestic Goose	4 - 8 lb. (1.8 - 3.6 kg)	30-35 min	2	300°F/145°C	185°F/85°C
Cornish Hen	1 - 1.5 lb. (0.5 - 0.7 kg)	50-60 min	2 or 3	325°F/160°C	185°F/85°C

Stuffed poultry may require additional cooking time.

NOTES

NOTES

DELICATE FISH & SEAFOOD

A limitless variety of fish and seafood can be elegantly prepared using different convection cooking methods. Variable Convection/Broil temperature settings offer you greater diversity compared to conventional broiling. The Citrus Shrimp Brochettes shown on page 28 turn out colorful and succulent. Similarly, convection cooking preserves the delicate flavor and texture of the Almond Baked Fillets of Sole on page 31.

Before Convection/Broiling we recommend that you baste all surface areas of your fish and seafood with oil or butter. Reduce your oven temperature for broiling thin fillets, and use a higher setting for broiling thicker fish steaks. Lower temperatures may require longer cooking times, but thorough hot air circulation eliminates the need to handle or turn fragile fish during convection cooking.

Testing fish and seafood during the last few minutes of recommended cooking time will ensure flawless results without over-cooking. When the fish is opaque and flakes easily, remove from the oven and serve.

CITRUS SHRIMP BROCHETTES

...a citrus and dill combination with a distinctly different flavor.

24		large raw shrimp, peeled and deveined	24
1/2	cup	grapefruit juice	125 mL
1/4	cup	vegetable oil	50 mL
2	tbsp.	chopped fresh dill	25 mL
2		green onions, finely chopped	2
1/4	tsp.	hot pepper sauce	1 mL
1/4	tsp.	salt	1 mL
1		orange, peeled and sectioned	1
1		grapefruit, peeled and sectioned	1

Note: If using wooden skewers, soak in water for 30 minutes before threading.

Preparation: Preheat oven on Convection/Broil to 400°F (205°C). • Place shrimp in a large non-metallic bowl. Add juice, oil, dill, onion, hot pepper sauce and salt; mix thoroughly. • Let marinate at room temperature for 30 minutes. • Alternately thread six skewers with shrimp, orange and grapefruit sections; brush brochettes with marinade. • Place brochettes on convection roasting rack set into broiler pan. • Cook on Convection/Broil at 400°F (205°C) for 5 minutes, then brush brochettes with remaining marinade. • Cook for an additional 3 to 5 minutes, until the shrimp turn bright pink.

 4

Oven Method: Convection/Broil 400°F (205°C) on Rack Position 4.

Oven Time: 8 to 10 minutes.

Yield: 6 brochettes.

ALMOND BAKED FILLETS OF SOLE

*...a classic combination of golden fillets
and delicately toasted almonds.*

1/2	cup	all-purpose flour	125	mL
1/2	tsp.	paprika	2	mL
1	lb.	sole fillets	500	g
2	tbsp.	butter or margarine, melted	25	mL
2	tbsp.	vegetable oil	25	mL
1/2	cup	sliced almonds	125	mL

Preparation: In a shallow dish combine flour and paprika. • Coat each fillet with flour mixture. • Place coated fillets in a greased shallow-rimmed baking pan large enough to hold all fillets in a single layer. • Combine butter and oil. Brush each fillet with mixture to coat completely. • Sprinkle sliced almonds evenly over fillets. • Cook on Convection at 400°F (205°C) for 12 to 15 minutes, until fish flakes easily. • Serve immediately with lemon wedges.

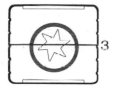

Oven Method: Convection 400°F (205°C) on Rack Position 3.

Oven Time: 12 to 15 minutes.

Yield: 4 servings.

WILD RICE STUFFED SALMON

...a spectacular presentation when garnished with lemon wedges and sprigs of fresh dill.

3-5	lb.	whole salmon	1.5-2.2	kg
1		medium onion, chopped	1	
1	cup	sliced fresh mushrooms	250	mL
2	tbsp.	butter or margarine	25	mL
2	cups	cooked wild rice	500	mL
1	can	(10 oz./284 mL) sliced water chestnuts, drained	1	
2	tbsp.	chopped fresh dill	25	mL
1/2	tsp.	lemon pepper	2	mL
1/4	tsp.	salt	1	mL
		vegetable oil		

Preparation: Wipe inside cavity and outside of salmon with a damp cloth. • In a frying pan sauté onion and mushrooms in butter on medium heat for 5 minutes, until soft. Remove from heat. • Stir in rice, water chestnuts, dill, lemon pepper and salt. • Fill cavity of salmon with dill and rice stuffing. Sew the opening closed with a heavy thread. • Brush entire surface of salmon with vegetable oil. • Place stuffed salmon on convection roasting rack set into broiler pan. • Cook uncovered, on Convection/Bake at 350°F (175°C), until the thickest portion of the fish flakes easily when tested with a fork. Remove thread. • Garnish fish with lemon wedges and sprigs of fresh dill to serve.

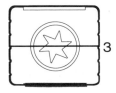

Oven Method: Convection/Bake 350°F (175°C) on Rack Position 3.

Oven Time: 35 to 50 minutes.

Yield: 6 to 8 servings.

HALIBUT STEAKS WITH HERBED MUSHROOMS

...tender fish delicately seasoned with fresh herbs.

2	lb.	halibut steaks	1	kg
1/2	cup	dry white wine	125	mL
1/4	cup	vegetable oil	50	mL
2	tbsp.	lemon juice	25	mL
1		clove garlic, minced	1	
1/4	cup	chopped fresh chives or green onions	50	mL
1/4	cup	chopped fresh parsley	50	mL
1	tsp.	grated lemon rind fresh ground pepper to taste	5	mL
2	cups	sliced fresh mushrooms	500	mL

Preparation: Preheat oven on Convection/Broil to 425°F (220°C). • Place halibut steaks in a shallow glass dish. • Combine wine, vegetable oil, lemon juice, garlic, chives, parsley, lemon rind and pepper. Pour over the halibut steaks and marinate for one hour. • Pour off marinade and save. • Place halibut steaks on convection roasting rack set into broiler pan. • Cook on Convection/Broil at 425°F (220°C) for 10 to 15 minutes, until the fish flakes easily. • Meanwhile, in a saucepan combine remainder of marinade and sliced mushrooms. Cook on medium heat until mushrooms are tender. • Spoon herbed mushrooms over the halibut steaks and serve.

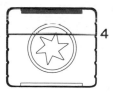

Oven Method: Convection/Broil 425°F (220°C) on Rack Position 4.

Oven Time: 10 to 15 minutes.

Yield: 4 servings.

MARITIME CRAB PATTIES

...quick, crisp and delicious.

1/4	cup	finely chopped celery	50	mL
1/4	cup	finely chopped onion	50	mL
1	tbsp.	butter or margarine	15	mL
8	oz.	crabmeat	250	g
1	cup	finely crushed soda crackers	250	mL
2		eggs, beaten	2	
2	tbsp.	mayonnaise or salad dressing	25	mL
1	tbsp.	chopped fresh parsley	15	mL
1	tsp.	Dijon mustard	5	mL
1	tsp.	Worcestershire sauce	5	mL
1	tsp.	paprika	5	mL
1	cup	cornflake crumbs	250	mL
3	tbsp.	butter or margarine, melted	45	mL

Note: This recipe can easily be doubled.

Preparation: Preheat oven on Convection to 400°F (205°C). • In a frying pan sauté celery and onion in 1 tbsp. (15 mL) butter on medium heat for 5 minutes, until soft. Remove from heat. • In a large bowl combine crabmeat, cracker crumbs, eggs, mayonnaise, parsley, mustard, Worcestershire sauce and paprika. • Add celery mixture and combine thoroughly. • Chill mixture for 2 hours. • Scoop crab mixture into 12 mounds and shape into patties. • Coat each patty with cornflake crumbs and place on two lightly greased baking sheets. Drizzle 2 tbsp. (25 mL) melted butter over crab patties. • Cook on Convection at 400°F (205°C), for 10 minutes. Turn crab patties over and continue cooking for 8 to 10 minutes, until golden brown.

Oven Method: Convection 400°F (205°C) on Rack Positions 2 and 4.

Oven Time: 18 to 20 minutes.

Yield: 6 servings.

FISH & SEAFOOD

NOTES

SAVORY VEGETABLES & SIDE DISHES

Oven-baking your vegetables is no longer limited to potatoes! Take full advantage of multi-level cooking and simultaneously prepare appetizing, piping hot accompaniments to your main meal with no cross-over of flavors. Continuous heat distribution throughout your convection oven offers you the opportunity to efficiently prepare a variety of side dishes and vegetables.

As you prepare your own favorites, remember that more dense rice and pasta casseroles may require longer cooking times. To allow for thoroughly cooked centers without over-browned outside edges, lower oven temperatures at least 25°F (15°C), but not lower than 300°F (145°C).

This refreshing selection of recipes will familiarize you with the flexibility convection cooking allows you in planning complete, delicious meals. Combine a variety of your own favorite dishes for your family to savor

CRISPY VEGETABLE BITES

...a tempting way to serve vegetables to kids of all ages.

1/3	cup	all-purpose flour	75 mL
1/2	tsp.	paprika	2 mL
1 1/4	cups	fresh bread crumbs	300 mL
1/2	cup	grated parmesan cheese	125 mL
1	tsp.	dried basil	5 mL
1	tsp.	dried oregano	5 mL
2		eggs, lightly beaten	2
2	tbsp.	milk	25 mL
18		medium-sized mushrooms	18
1		large zucchini, cut into 1/2" (1 cm) rounds	1
1/4	cup	butter or margarine, melted	50 mL

Preparation: Preheat oven on Convection to 425°F (220°C). • Combine flour and paprika in a plastic bag. • In another plastic bag combine bread crumbs, cheese, basil and oregano. • Combine eggs and milk in a small bowl. • Shake vegetables in flour mixture, then dip into egg mixture. • Shake vegetables in breadcrumb mixture to coat completely. • Place breaded vegetables on two lightly-greased shallow baking pans. Drizzle with butter. • Bake on Convection at 425°F (220°C) for 12 to 15 minutes until crisp and golden brown. • Serve with Zesty Dipping Sauce.

Oven Method: Convection 425°F (220°C) on Rack Positions 2 and 4.

Oven Time: 12 to 15 minutes.

Yield: About 30 vegetable pieces.

ZESTY DIPPING SAUCE
Yield: Approximately 3/4 cup (175 mL).

1/4	cup	sour cream	50 mL
1/4	cup	salad dressing	50 mL
1/4	cup	chili sauce	50 mL
2	tbsp.	chopped chives	25 mL
1	tbsp.	lemon juice	15 mL
1	tbsp.	horseradish	15 mL

Preparation: In a bowl combine sour cream, salad dressing, chili sauce, chives, lemon juice and horseradish. Refrigerate until ready to use.

GREEK VEGETABLE KEBOBS

...tangy, colorful, and a snap to make!

1/4	cup	olive oil	50 mL
1/4	cup	vegetable oil	50 mL
2	tbsp.	fresh lemon juice	25 mL
1		large clove garlic, minced	1
1/2	tsp.	dried oregano	2 mL
2		green onions, finely chopped	2
1/4	tsp.	fresh ground pepper	1 mL
12		large mushrooms	12
1		large yellow pepper, cut into 12 squares	1
1		large zucchini, cut into 1/2" (1 cm) pieces	1
1		large, firm tomato, cut into 6 wedges	1

Note: If using wooden skewers, soak in water for 30 minutes before threading.

Preparation: Preheat oven on Convection/Broil to 400°F (205°C). • In a large non-metallic bowl combine olive oil, vegetable oil, lemon juice, garlic, oregano, onions and pepper. Add vegetables and toss to coat well. • Let mixture marinate at room temperature for 30 minutes. • Alternately thread six skewers with vegetables. • Arrange kebobs on convection roasting rack set into broiler pan and brush with marinade. • Cook on Convection/Broil at 400°F (205°C) for 5 minutes. Brush kebobs with remaining marinade. • Cook for an additional 5 minutes, until vegetables are tender.

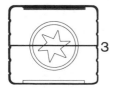

Oven Method: Convection/Broil 400°F (205°C) on Rack Position 3.

Oven Time: 10 minutes.

Yield: 6 servings.

BROCCOLI-CARROT CHEESE PIE

...a light, healthy meal on its own, or a terrific complement to chicken and fish.

1/3	cup	butter or margarine, melted	75 mL
3	cups	fresh bread crumbs	750 mL
1	tbsp.	sesame seeds	15 mL
3	cups	cooked broccoli flowerets	750 mL
1	cup	cooked carrot rounds	250 mL
1	cup	milk	250 mL
2		eggs	2
1/2	cup	all-purpose flour	125 mL
1/2	tsp.	Worcestershire sauce	2 mL
1/4	tsp.	hot pepper sauce	1 mL
2	cups	shredded cheddar cheese	500 mL

Preparation: Preheat oven on Convection/Bake to 350°F (175°C). • In a bowl combine butter, bread crumbs and sesame seeds. Press mixture over bottom and sides of a greased 9" (23 cm) pie plate. • Bake on Convection/Bake at 350°F (175°C) for 20 minutes, until lightly toasted. • Fill baked shell with broccoli and carrots. • In a blender or food processor mix milk, eggs, flour, Worcestershire sauce and hot pepper sauce. • Add 1 1/2 cups (375 mL) shredded cheddar cheese and blend. • Pour mixture over vegetables and sprinkle the remaining 1/2 cup (125 mL) cheese over top of pie. • Cook on Convection/Bake at 350°F (175°C) for 35 to 40 minutes, until filling is set and top is lightly browned. • After baking, let stand 5 minutes before slicing.

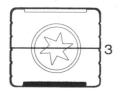

Oven Method: Convection/Bake 350°F (175°C) on Rack Position 3.

Oven Time: 55 to 60 minutes.

Yield: 6 to 8 servings.

GRATIN OF POTATOES AND TURNIP

...a creamy dish with a touch of nutmeg and garlic.

1		clove garlic, minced	1	
1		small onion, finely chopped	1	
2	tbsp.	butter or margarine	25	mL
1 1/2	lb.	new potatoes	750	g
1/2	lb.	small white turnips, peeled	250	g
1/4	tsp.	salt	1	mL
1/4	tsp.	fresh ground pepper	1	mL
		pinch of nutmeg		
1	cup	chicken stock	250	mL
1	cup	whipping cream	250	mL

Preparation: In a frying pan sauté garlic and onion in butter on medium heat until soft. • Thinly slice potatoes and turnips. • In a greased 9" (23 cm) round baking dish, place half of the potato slices, all of the turnip slices, and the garlic mixture. • Top with remaining potatoes and sprinkle with salt, pepper and nutmeg. • Pour chicken stock and cream over layered vegetables. • Cook on Convection/Bake at 350°F (175°C) for about 45 minutes, until top is crisp and vegetables are tender. • After baking, let stand for 5 minutes before serving.

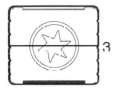

Oven Method: Convection/Bake 350°F (175°C) on Rack Position 3.

Oven Time: 45 minutes.

Yield: 6 to 8 servings.

LEMON ROASTED POTATOES

...a tangy twist to an old favorite!

3		large baking potatoes	3
1/4	cup	butter or margarine, melted	50 mL
2	tbsp.	olive oil	25 mL
1		clove garlic, minced	1
1	tbsp.	lemon juice	15 mL
1	tsp.	lemon pepper	5 mL
1/2	tsp.	salt	2 mL

Variation: Substitute lemon juice and lemon pepper with 1 tsp. (5 mL) of your favorite herb.

Preparation: Scrub potatoes well. Slice each potato in half lengthwise, then cut each half into 3 wedges. • In a bowl combine butter, oil, garlic, lemon juice, lemon pepper, and salt. • Toss potato wedges in the lemon mixture then place on a greased shallow-rimmed baking pan. • Pour any remaining mixture over the potatoes. • Cook on Convection at 400°F (205°C) for 20 minutes. Turn over potatoes and continue cooking 10 to 20 minutes more, until golden brown and tender.

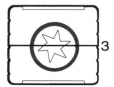

Oven Method: Convection 400°F (205°C) on Rack Position 3.

Oven Time: 30 to 40 minutes.

Yield: 4 to 6 servings.

NOTES

NOTES

INCREDIBLE EGG & CHEESE DISHES

You'll be delighted with the significant difference convection cooking makes, particularly to the preparation of dishes that are sensitive to fluctuations in oven temperature.

With a consistently maintained temperature throughout the oven, a fabulous soufflé, with a light-textured interior and an exquisitely golden crust, will no longer elude you. You'll enjoy complete success creating the Ham and Swiss Cheese Soufflé on page 52, as egg whites rise evenly while the wonderful flavor of cheese is gently blending in. Each recipe in this chapter will make a tasty addition to your list of simple, savory suppers and cook ahead favorites.

Most egg and cheese dishes bake higher and lighter using the constantly moving air in a convection oven. Positioning dishes in the center of the oven makes efficient use of evenly distributed heat, guaranteeing perfect results with your incredible egg and cheese dishes.

convection *Perfection!*

BLUEBERRIES AND CREAM FRENCH TOAST

... a delicious new brunch idea!

8	oz.	cream cheese, softened	250	g
1/3	cup	granulated sugar	75	mL
1	tsp.	vanilla extract	5	mL
1/4	cup	butter or margarine, softened	50	mL
		grated rind of 1 orange		
4		eggs	4	
2 1/2	cups	milk	625	mL
1		loaf French bread,	1	
		cut into 1" (2.5 cm) slices		
1	cup	blueberries,	250	mL
		fresh or frozen and thawed		

Preparation: Preheat oven on Convection to 325°F (160°C). • In a large bowl combine cream cheese, sugar, vanilla, butter and orange rind until well blended. • Add eggs one at a time mixing well after each addition. Stir in milk. • Arrange bread in standing rows in a greased 9" x 13" (23 cm x 33 cm) baking pan. • Pour cream cheese mixture evenly over bread. Let stand for at least 15 minutes. • Just before baking, brush top of bread with cheese mixture from pan. Sprinkle blueberries on top. • Bake on Convection at 325°F (160°C) for 35 to 40 minutes, until golden brown. • After baking, cut into pieces and serve with warm Blueberry-Orange Sauce.

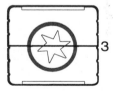

Oven Method: Convection 325°F (160°C) on Rack Position 3.

Oven Time: 35 to 40 minutes.

Yield: 6 to 8 servings.

BLUEBERRY - ORANGE SAUCE   *Yield:* 2 cups (500 mL).

1/2	cup	sugar	125	mL
1	tbsp.	cornstarch	15	mL
1	cup	water	250	mL
		grated rind and juice of one orange		
1	cup	blueberries,	250	mL
		fresh or frozen and thawed		

Preparation: Combine sugar and corn starch in a saucepan. • Blend in water, orange rind, juice and blueberries. • Cook on medium heat, stirring constantly until mixture is thickened and clear. • Serve warm.

ITALIAN SPINACH CHEESE TORTE

...sensational with a crisp, green salad.

1	lb.	Italian sausage	500	g
1		medium size onion, chopped	1	
1		clove garlic, minced	1	
1	cup	sliced fresh mushrooms	250	mL
1		pkg. (300 g) chopped frozen spinach, thawed and well drained	1	
1	lb.	ricotta cheese	500	g
4	oz.	cream cheese, softened	125	g
2	cups	shredded mozzarella cheese	500	mL
2		eggs, beaten	2	
2	tsp.	fennel seeds	10	mL
1/4	tsp.	crushed dried chili peppers	1	mL
1		pkg. (approx. 400 g) frozen puff pastry, thawed	1	
1		egg, beaten	1	

Preparation: Preheat oven on Convection/Bake to 375°F (190°C). • Remove casing from sausage and crumble meat into a frying pan. Cook sausage, onion, garlic and mushrooms on medium heat until sausage is completely cooked. Drain off fat. • In a large bowl, combine cooked sausage mixture, spinach, ricotta cheese, cream cheese, mozzarella cheese, 2 eggs, fennel and chili pepper until well blended. • On a lightly floured surface, roll out half of the pastry. Line a 9" (23 cm) square baking dish. • Fill with sausage and cheese mixture. • Roll out remaining pastry and place on top of filling. • Seal and flute edges of the torte. • Brush top with 1 beaten egg. • Bake on Convection/Bake at 375°F (190°C) for 45 to 50 minutes, until pastry is light, golden brown. • After baking, let stand 5 minutes before serving.

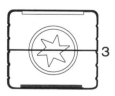

Oven Method: Convection/Bake 375°F (190°C) on Rack Position 3.

Oven Time: 45 to 50 minutes.

Yield: 9 servings.

SWISS CHEESE AND HAM SOUFFLÉ

...an easy-to-prepare classic with a creamy interior and a crusty crown.

1/4	cup	butter or margarine	50	mL
1/4	cup	all-purpose flour	50	mL
1	cup	milk	250	mL
1 1/4	cups	shredded Swiss cheese	300	mL
1	tbsp.	chopped fresh chives or green onions	15	mL
1/2	tsp.	Worcestershire sauce	2	mL
1/4	tsp.	hot pepper sauce	1	mL
4		eggs, separated	4	
1	cup	finely chopped cooked ham	250	mL

Preparation: Preheat oven on Convection/Bake to 350°F (175°C). • In a saucepan melt butter on low heat. Stir in flour and cook for 1 minute. • Add milk and increase heat to medium-high. Cook until bubbling and thickened, stirring with a whisk. • Reduce heat to low and add Swiss cheese, chives, Worcestershire sauce and hot pepper sauce. Stir until cheese melts. • Remove from heat and blend in egg yolks one at a time. • Stir in ham. • In a large bowl beat egg whites until stiff, and moist peaks form. • Gently fold cheese mixture into egg whites. • Pour into a greased 8 cup (2L) soufflé dish. • Bake on Convection/Bake at 350°F (175°C) for 30 to 35 minutes, until well browned and firm. Serve the soufflé immediately.

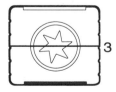

Oven Method: Convection/Bake 350°F (175°C) on Rack Position 3.

Oven Time: 30 to 35 minutes.

Yield: 4 to 6 servings.

GARDEN VEGETABLE FRITTATA

...a delicious combination of summer garden flavors.

1		medium onion, chopped	1	
1		clove garlic, minced	1	
2	tbsp.	vegetable oil	25	mL
1		medium zucchini, thinly sliced	1	
1/2	cup	chopped red pepper	125	mL
3		large tomatoes, peeled and coarsely chopped	3	
3		medium potatoes, cooked and cubed	3	
1/2	tsp.	dried basil	2	mL
1/2	tsp.	dried oregano	2	mL
1/4	tsp.	salt	1	mL
6		eggs	6	
1/4	cup	milk	50	mL
1/4	cup	grated parmesan cheese	50	mL
1	cup	shredded cheddar cheese	250	mL

Preparation: In a frying pan sauté onion and garlic in vegetable oil on medium heat for about 3 minutes. • Add zucchini and pepper; continue cooking about 5 minutes, until vegetables are soft. • Add tomatoes, potatoes, basil, oregano and salt. Simmer on low heat until all liquid has evaporated, about 15 minutes. • Set aside. • Beat eggs and milk together lightly in a bowl. Mix in Parmesan cheese. • Pour vegetable mixture into a shallow, greased 8 cup (2L) casserole dish. • Gently stir the egg mixture into the vegetables. • Sprinkle the cheddar cheese on top. • Bake on Convection/Bake at 350°F (175°C) for 25 to 30 minutes, until puffed and golden brown. • After baking, let stand 5 minutes before serving.

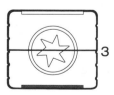
3

Oven Method: Convection/Bake 350°F (175°C) on Rack Position 3.

Oven Time: 25 to 30 minutes.

Yield: 6 servings.

CHEDDAR MUSHROOM PUFF PANCAKE

...terrific for brunch or light supper.

2	tbsp.	butter or margarine	25	mL
3		eggs	3	
3/4	cup	milk	175	mL
3/4	cup	all-purpose flour	175	mL
2	tbsp.	butter or margarine	25	mL
1	lb.	fresh mushrooms, sliced	500	g
3		green onions, chopped	3	
2	tbsp.	dry sherry	25	mL
1/3	cup	yogurt or sour cream	75	mL
1	tbsp.	all-purpose flour	15	mL
1/4	tsp.	salt	1	mL
1/4	tsp.	fresh ground pepper	1	mL
1	cup	shredded cheddar cheese	250	mL

Preparation: Preheat oven on Convection to 375°F (190°C). • Place 2 tbsp. (25 mL) butter in an 8 cup (2L) round, shallow baking dish. While oven preheats set dish in oven until butter melts. • Meanwhile, place eggs in a blender or food processor and blend at high speed for one minute. • With blender running gradually pour in milk. Then add flour and continue blending for 30 seconds. • Pour batter into prepared baking dish. • Bake on Convection at 375°F (190°C) for 20 to 25 minutes, until puffed and golden. • While puff is baking, in a frying pan melt 2 tbsp. (25 mL) butter on medium-high heat. • Add mushrooms and onions; cook until lightly browned. • Pour in sherry. Cover pan and allow mushrooms to release natural juices, about 2 minutes. • In a small bowl blend yogurt with flour, salt and pepper. Stir into mushrooms and cook, stirring until blended and mixture begins to boil. • Sprinkle in shredded cheddar cheese. Turn off element and cover mixture to keep warm. • When puff is baked, cut into wedges and top with cheddar mushroom mixture to serve.

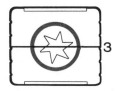

Oven Method: Convection 375°F (190°C) on Rack Position 3.

Oven Time: 20 to 25 minutes.

Yield: 4 to 6 servings.

NOTES

NOTES

DELIGHTFUL YEAST BREADS

Resist the ultimate baker's challenge no longer! Yeast breads baked in your convection oven rise beautifully, have uniformly browned crusts on all sides, and are evenly textured throughout. On the following pages we present a variety of wholesome, appetizing breads full of the fresh flavor and aroma that appeals to homemade bread bakers and samplers alike.

Use convenient multi-level baking to bake a number of loaves of bread at the same time, such as the tasty traditional Harvest Loaf recipe on page 61. Serve some freshly baked Jiffy Herb Dinner Rolls from page 63, steaming hot, along with your main meal.

Matte or dull finish metal pans guarantee spectacular yeast breads because they effectively absorb sufficient heat to evenly raise dough and form a crispy crust. Position loaf pans or baking sheets at least 1" (2.5 cm) from the oven walls to allow the circulating heated air to reach all sides.

Breads are done when tops are golden, and tapping on the top crust results in a hollow sound. Immediately turn your delightful breads out of the pans to cool.

convection
Perfection!

FOCACCIA

...Italian herb flat bread that's terrific with pasta!

Dough:

1	tbsp.	traditional, granular dry yeast (one 8 g envelope)	15	mL
1	tsp.	granulated sugar	5	mL
1	cup	warm water (110°F/45°C)	250	mL
2 1/2	cups	all-purpose flour	625	mL
1	tsp.	salt	5	mL
1	tbsp.	olive oil	15	mL
1	tbsp.	cornmeal	15	mL

Topping:

2	tbsp.	olive oil	25	mL
1	tsp.	dried basil	5	mL
1	tsp.	dried parsley	5	mL
1/2	tsp.	dried oregano	2	mL
3	tbsp.	grated parmesan cheese	45	mL

Variations: Use 1 lb. (500 g) bread or pizza dough. Substitute your choice of fresh herbs for dried herbs. Top bread with thinly sliced vegetables, if desired.

Preparation: Dissolve yeast and sugar in warm water and let stand for 10 minutes, until foamy. • In a large bowl combine flour and salt. • Stir in yeast mixture and 1 tbsp. (15 mL) olive oil. Mix well to make a soft dough. • Knead dough 5 minutes, adding more flour if necessary, so dough is soft but not sticky. • Place dough in a greased bowl and turn to grease top. Cover and let rise in a warm place 45 to 60 minutes until doubled in size. • Grease a 12" (30 cm) pizza pan and sprinkle with cornmeal. • Punch down dough and roll or press out to fit the prepared pizza pan. • Spread 2 tbsp. (25 mL) olive oil over dough. Sprinkle with herbs and cheese. • Let rise 30 minutes at room temperature. • Preheat oven on Convection 400°F (205°C); bake for about 15 minutes, until lightly browned.

2

Oven Method: Convection 400°F (205°C) on Rack Position 2.

Oven Time: 15 minutes.

Yield: 8 wedges.

HARVEST LOAF

...naturally shaped bread with a crisp, crackling crust.

2		small potatoes, peeled	2	
1	tbsp.	traditional granular dry yeast	15	mL
		(one 8g envelope)		
1	tsp.	granulated sugar	5	mL
1/4	cup	warm water (110°F/45°C)	50	mL
1	tsp.	salt	5	mL
1	tbsp.	shortening, melted and cooled	15	mL
5	cups	all-purpose flour	1.25	L
		sesame seeds		

Preparation: In a saucepan cover potatoes with water and cook on medium-high until tender. • Drain, reserving 1 1/2 cups (375 mL) of the cooking liquid. • Mash potatoes and set aside. • Dissolve yeast and sugar in warm water and let stand 10 minutes until foamy. • In a large bowl combine mashed potatoes, reserved lukewarm cooking liquid, salt and shortening. • Stir in yeast mixture and 3 cups (750 mL) of the flour. • Add remaining flour 1/2 cup (125 mL) at a time, to make a soft dough. • Knead dough on a floured surface for 8 to 10 minutes, until smooth. • Place dough in a greased bowl and turn to grease top. • Cover and let rise in a warm place about 1 1/2 hours until doubled in size. • Punch down dough. Divide into two equal parts. Shape each part into a round loaf. • Place each loaf on a greased cookie sheet. Slash tops of loaves with a sharp knife. Sprinkle tops with sesame seeds. • Cover. Let rise in a warm place for 30 to 45 minutes, until almost doubled in size. • Preheat oven on Convection 350°F (175°C); bake for 40 to 45 minutes, until golden brown and loaves sound hollow when tapped. • Cool on a wire rack. Slice and serve warm.

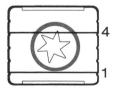

Oven Method: Convection 350°F (175°C) on Rack Positions 1 and 4.

Oven Time: 40 to 45 minutes.

Yield: 2 loaves.

GOLDEN CHEDDAR SNACK LOAVES

...bursting with the extra flavor of cheddar cheese.

1	tbsp.	traditional granular dry yeast (one 8 g envelope)	15	mL
2	tbsp.	granulated sugar	25	mL
1	cup	warm water (110°F/45°C)	250	mL
3	cups	all-purpose flour	750	mL
1/2	tsp.	salt	2	mL
1 1/4	cups	shredded cheddar cheese	300	mL
1		egg	1	

Preparation: Dissolve yeast and sugar in 1/4 cup (50 mL) warm water and let stand 10 minutes, until foamy. • In a large bowl combine flour, salt and 1 cup (250 mL) of the shredded cheddar cheese. • Stir in yeast mixture, egg, and remaining water to make a soft dough that does not stick to bowl. • Knead dough on a floured surface 8 to 10 minutes, until smooth. • Place dough in a greased bowl and turn to grease top. • Cover and let rise in a warm place about 1 hour, until doubled in size. • Punch down dough. Divide into 2 equal parts. • Shape each part into a strand about 12" (30 cm) long. Place strands 4" (10 cm) apart on a greased cookie sheet. Slash tops of loaves diagonally with a sharp knife, 4 or 5 times. • Cover loaves. Let rise in a warm place about 40 minutes until almost doubled. • Brush tops of loaves with cold water and sprinkle with remaining 1/4 cup (50 mL) cheese. • Preheat oven on Convection/Bake to 350°F (175°C); bake for 20 to 25 minutes until golden brown, and loaves sound hollow when tapped. • After baking loaves, remove from cookie sheet and cool on a wire rack. • Slice and serve warm.

Oven Method: Convection/Bake 350°F (175°C) on Rack Position 2.

Oven Time: 20 to 25 minutes.

Yield: 2 small loaves.

JIFFY HERB DINNER ROLLS

...season these easy to make rolls with your own favorite herbs.

4	cups	all-purpose flour	1	L
1 1/2	cups	whole wheat flour	375	mL
1	tbsp.	granulated sugar	15	mL
1	tsp.	salt	5	mL
2	tbsp.	instant granular dry yeast	25	mL
		(two 8g envelopes)		
1/4	cup	vegetable oil	50	mL
2	cups	water	500	mL
		vegetable oil		
1	tbsp.	Italian herbs	15	mL

Preparation: Grease 24 medium-sized muffin cups. • Measure 1 cup (250 mL) all-purpose flour. Set aside. • In a large bowl combine remaining all-purpose flour, whole wheat flour, sugar, salt and yeast. • Heat 1/4 cup (50 mL) vegetable oil, and water, to 125°-130°F (50°-55°C). • Stir hot water mixture into flour mixture. • Mix in enough of reserved flour to make a soft dough that does not stick to the sides of the bowl. • Knead dough on a floured surface for 8 to 10 minutes, until smooth. • Cover and let rest 10 minutes. • Divide dough into 24 equal pieces. Shape each piece into a smooth ball, pinching at bottom to seal. Place rolls into greased muffin cups. • Brush tops with vegetable oil and sprinkle with herbs. Cover and let rise in a warm place for about 30 minutes, until almost doubled in size. • Preheat oven on Convection 350°F (175°C); bake rolls for 12 to 15 minutes, until golden brown. • Serve warm.

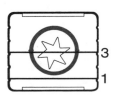

Oven Method: Convection 350°F (175°C) on Rack Positions 1 and 3.

Oven Time: 12 to 15 minutes.

Yield: 24 rolls.

APRICOT-PECAN MORNING BREAD

...a rich fruit and nut bread that tastes spectacular toasted.

2	tbsp.	traditional granular dry yeast (two 8g envelopes)	25	mL
1	tsp.	granulated sugar	5	mL
1 1/4	cup	warm water (110°F/45°C)	300	mL
1	cup	warm buttermilk (110°F/45°C)	250	mL
1/2	cup	liquid honey	125	mL
1/2	cup	large flake rolled oats	125	mL
1/2	cup	natural bran	125	mL
1/4	cup	butter or margarine, melted	50	mL
1	tsp.	salt	5	mL
5	cups	all-purpose flour	1.25	L
1	cup	chopped dried apricots	250	mL
1/2	cup	finely chopped pecans	125	mL

Preparation: Dissolve yeast and sugar in 1/4 cup (50 mL) warm water and let stand 10 minutes until foamy. • In a large bowl combine buttermilk, 1 cup (250 mL) water, honey, oats, bran, butter and salt. • Add 1 1/2 cups (375 mL) flour and the yeast mixture. Beat until smooth. • Mix in apricots and pecans. • Add remainder of flour, 1/2 cup (125 mL) at a time, to make a soft dough. • Knead dough on a floured surface for 6 to 8 minutes, until smooth. • Place dough in a greased bowl and turn to grease top. • Cover and let rise in a warm place for about 1 1/2 hours, until doubled in size. • Punch down dough. Divide into 2 equal parts. • Shape each part into a loaf to fit two 8" x 4" (21 cm x 12 cm) greased loaf pans. • Cover loaves and let rise in a warm place for about 35 minutes, until level with tops of pans. • Preheat oven on Convection/Bake to 350°F (175°C); bake for 30 to 35 minutes, until loaves sound hollow when tapped and tops are golden brown. • Remove loaves from pans and cool on a wire rack. • Serve with your favorite homemade jam for a special treat.

Oven Method: Convection/Bake 350°F (175°C) on Rack Position 2.

Oven Time: 30 to 35 minutes.

Yield: 2 loaves.

CONVECTION YEAST BREAD BAKING CHART

Set Cooking Selections to: CONVECTION OR CONVECTION/BAKE

FOOD	SIZE OF BAKING DISH	RACK POSITION	PREHEATED OVEN TEMPERATURE	APPROXIMATE COOKING TIME
YEAST BREADS				
Loaves	Bread Pans 9" x 5" (23 cm x 13 cm)	2	350°F/175°C	30-35 min
Dinner Rolls	Single Pan	3	350°F/175°C	10-15 min
	Multiple Pans	1,3	350°F/175°C	12-15 min
HOMEMADE PIZZA				
	Single	3	400°F/205°C	15 min
	Multiple	2,4	400°F/205°C	15-20 min

NOTES

NOTES

EFFORTLESS QUICK BREADS

Whether your family's preference leans toward delicious snack muffins or a hearty fruit and nut loaf, your convection range makes baking their favorites easy and rewarding!

Using a preheated oven will ensure quick breads are completely cooked in the center and delicately browned outside. In baking the tempting Chocolate-Orange Streusel Cake recipe on page 68, you'll appreciate how the convection cooking method thoroughly bakes quick breads, while gently combining some very interesting flavors under a tender, golden crust.

Enhanced heat distribution during convection baking may finish smaller items, such as biscuits and muffins, sooner than you might anticipate. Check for the desired level of doneness shortly before the end of recommended cooking times.

The moisture content and density of quick breads require convection oven temperatures within the same range as conventional baking temperatures. Once you have experimented with the savory and sweet quick bread recipes that follow, use the chart on the last page in this chapter to easily adapt your own quick bread recipes.

CHOCOLATE-ORANGE STREUSEL CAKE

...a winning combination of flavors with a crunchy golden top.

1/2	cup	chopped pecans	125	mL
1/3	cup	firmly-packed brown sugar	75	mL
1	cup	large chocolate chips	250	mL
1/2	cup	butter or margarine	125	mL
1	cup	granulated sugar	250	mL
1	tsp.	grated orange rind	5	mL
1	tsp.	vanilla extract	5	mL
2		eggs	2	
1	cup	sour cream	250	mL
2	cups	all-purpose flour	500	mL
2	tsp.	baking powder	10	mL
1	tsp.	baking soda	5	mL
1/4	tsp.	salt	1	mL

Preparation: Preheat oven on Convection/Bake to 325°F (160°C). • For streusel mixture, combine pecans, brown sugar and chocolate chips. Set aside. • In a large bowl beat butter and sugar together until light and fluffy. • Add orange rind, vanilla, eggs and sour cream. Mix well. • In a separate bowl combine flour, baking powder, baking soda and salt. Add to the creamed mixture and mix lightly, just until combined. • Spread half the batter in the bottom of a 9" (23 cm) greased springform tube pan. Sprinkle with half of the streusel mixture. • Cover with remaining batter and sprinkle the rest of the streusel mixture evenly over the top. • Bake on Convection/Bake at 325°F (160°C) for 35 to 40 minutes, until golden. • Cool cake before removing from pan.

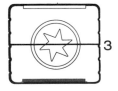

Oven Method: Convection/Bake 325°F (160°C) on Rack Position 3.

Oven Time: 35 to 40 minutes.

Yield: 8 to 10 servings.

CRANZINI MUFFINS

...a wholesome tasty treat any time of day!

1	cup	whole wheat flour	250	mL
1	cup	all-purpose flour	250	mL
1	tbsp.	baking powder	15	mL
1/2	tsp.	salt	2	mL
3/4	cup	milk	175	mL
1/2	cup	liquid honey	125	mL
1/3	cup	vegetable oil	75	mL
2		eggs	2	
1	tsp.	vanilla extract	5	mL
1	tsp.	grated lemon rind	5	mL
1	cup	finely grated zucchini	250	mL
1	cup	whole cranberries, fresh or frozen and thawed	250	mL

Preparation: Preheat oven on Convection to 375°F (190°C). • In a large bowl combine whole wheat flour, all-purpose flour, baking powder and salt. • In a separate bowl combine milk, honey, vegetable oil, eggs, vanilla and lemon rind. • Add liquid mixture to the dry ingredients and stir just enough to moisten. • Fold in zucchini and cranberries. • Spoon batter into twelve large 2 1/2" (6 cm) greased or paper lined muffin cups. • Bake on Convection at 375°F (190°C) for 22 to 25 minutes, until golden and a tester inserted into center of muffins comes out clean. • After baking, turn out onto a wire rack. • Serve warm.

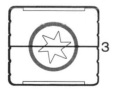

Oven Method: Convection 375°F (190°C) on Rack Position 3.

Oven Time: 22 to 25 minutes.

Yield: 12 large muffins.

BUTTERMILK CORN BREAD

...a perfect partner to soup or salad.

1	cup	all-purpose flour	250	mL
3/4	cup	cornmeal	175	mL
1	tbsp.	granulated sugar	15	mL
2	tsp.	baking powder	10	mL
1/2	tsp.	baking soda	2	mL
1/2	tsp.	salt	2	mL
1 1/2	cups	buttermilk	375	mL
2		eggs	2	
1/4	cup	butter or margarine, melted	50	mL

Variations:

6		slices cooked bacon, chopped	6	
3	tbsp.	chopped red pepper	45	mL
3	tbsp.	chopped green onion	45	mL
2	tbsp.	finely chopped sun dried tomatoes	25	mL
1/2	cup	chopped pecans	125	mL
1/2	cup	grated cheddar cheese	125	mL
1	cup	blueberries, fresh or frozen and thawed	250	mL

Preparation: Preheat oven on Convection to 400°F (205°C).• In a bowl combine flour, cornmeal, sugar, baking powder, baking soda and salt. • In a separate bowl combine buttermilk, eggs and butter. Mix well. • Stir the liquid mixture into the dry ingredients and mix just until moistened. • If desired, fold in your choice of one of the variations listed above. • Spread batter in a greased 9" (23 cm) square baking pan. • Bake on Convection at 400°F (205°C) for 20 minutes, until top is golden brown. • After baking, cut into squares and serve warm.

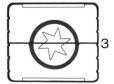

Oven Method: Convection 400°F (205°C) on Rack Position 3.

Oven Time: 20 minutes.

Yield: 9 pieces.

SUNSHINE DATE LOAF

...start the day with a nutritious breakfast in a slice!

2	cups	chopped pitted dates	500	mL
1 1/4	cups	boiling water	300	mL
1/3	cup	vegetable oil	75	mL
		grated rind of 1 orange		
1 1/4	cups	fresh orange juice	300	mL
2		eggs, lightly beaten	2	
2	cups	all-purpose flour	500	mL
2	cups	quick-cooking rolled oats	500	mL
2/3	cup	firmly packed brown sugar	150	mL
1	tbsp.	baking powder	15	mL
2	tsp.	baking soda	10	mL
1/2	tsp.	salt	2	mL
1	cup	chopped walnuts	250	mL

Preparation: Preheat oven on Convection/Bake to 325°F (160°C). • Place dates in a bowl. Cover with boiling water and set aside. • When date mixture has cooled to room temperature stir in oil, grated orange rind, orange juice and eggs. • In a separate bowl combine flour, oats, sugar, baking powder, baking soda, salt and walnuts. • Add the date mixture to the dry ingredients and stir until moistened. • Divide batter evenly between two greased 8" x 4" (21 cm x 12 cm) loaf pans. • Bake on Convection/Bake at 325°F (160°C) for 45 to 50 minutes, until a tester inserted in the center of loaves comes out clean. • Remove from pans and cool completely before serving.

Oven Method: Convection/Bake 325°F (160°C) on Rack Position 2.

Oven Time: 45 to 50 minutes.

Yield: 2 loaves.

JEWEL BISCUITS

...a versatile variation of the old fashioned tea biscuit.

3	cups	all-purpose flour	750	mL
3	tbsp.	granulated sugar	45	mL
2	tbsp.	baking powder	30	mL
1/4	tsp.	salt	1	mL
1/2	cup	shortening	125	mL
1/4	cup	butter or margarine	50	mL
1	cup	chopped candied fruit	250	mL
1 1/2	cups	milk	375	mL

Variations:

1	cup	fresh blueberries	250	mL
1	cup	raisins	250	mL
1	cup	diced dried apricots	250	mL

Preparation: Preheat oven on Convection to 400°F (205°C). • In a large bowl combine flour, sugar, baking powder and salt. • With a pastry blender or two knives, cut shortening and butter into flour mixture until crumbly. • Stir in fruit of your choice. • Add milk and stir to make a soft dough. • For each biscuit, scoop out 1/4 cup (50 mL) of dough and drop onto 2 lightly greased baking sheets. • Bake on Convection at 400°F (205°C) for about 15 minutes, until light golden brown. • Serve warm.

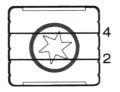

Oven Method: Convection 400°F (205°C) on Rack Positions 2 and 4.

Oven Time: 15 minutes.

Yield: Approximately 18 biscuits.

CONVECTION QUICK BREADS BAKING CHART

Set Cooking Selections to: CONVECTION or CONVECTION/BAKE

FOOD	SIZE OF BAKING DISH	RACK POSITION	PREHEATED OVEN TEMPERATURE	APPROXIMATE COOKING TIME
Muffins	Single Pan Multiple Pans	3 1,3,5	375°F/190°C	18-25 min 18-25 min
Biscuits	Single Sheet Multiple Sheets	3 1,3,5	425°F/220°C	8 min 10 min
Fruit & Nut Loaves	Loaf Pan 8" x 4" (21 cm x 12 cm)	2	325°F/160°C	45-60 min

NOTES

_____

_____

_____

_____

_____

_____

_____

_____

_____

_____

QUICK BREADS

NOTES

DELECTABLE DESSERTS

In this chapter we present you with a selection of simple, elegant desserts to add a perfect finishing touch to your main meals. Whether you choose to bake your desserts before, during or after you prepare your main course, the convection oven adapts easily to make your favorites spectacular. For a refreshing twist try the convection broiled Orange Glazed Fruit Kebobs on page 82.

For those of you who love to do all your baking in one day, or frequently bake large batches of cakes, pies or cookies, fan-forced hot air permits you to bake on more than one rack at a time. This is not only a convenient alternative, but a real time saver as well. For best results when baking cookies, use cookie sheets with only one lip; or, invert a four-sided baking sheet and bake cookies on the bottom.

You'll especially appreciate the added lightness and height that convection air movement gives to puff pastry and meringues. Constant air movement turns out beautifully airy Meringue Nests in the delectable recipe on page 78.

convection
Perfection!

MERINGUE NESTS

...a crisp, chewy dessert with lots of flair!

4		egg whites, at room temperature	4	
1/4	tsp.	cream of tartar	1	mL
1	cup	granulated sugar	250	mL
1	tsp.	vanilla extract	5	mL
2	cups	prepared fresh fruit	500	mL
1	pint	ice cream or frozen yogurt	500	mL

Variation: Omit ice cream and use 4 cups (1 L) prepared fresh fruit.

Preparation: Preheat oven on Convection to 275°F (130°C). • In a mixing bowl place egg whites and cream of tartar. Beat at high speed until foamy. • Gradually add sugar, 1 tbsp. (15 mL) at a time and beat for 8 to 10 minutes until stiff and glossy. Blend in vanilla. • For individual meringue nests: On 2 greased baking sheets, for each nest, shape 1/3 cup (75 mL) of meringue mixture into a 3" (7.5 cm) circle, making a depression in the center. • For one large meringue nest: Draw a 9" (23 cm) circle on a foil-covered baking sheet. Spoon meringue mixture into circle. Make a depression in the center, mounding slightly around the edges. • Bake on Convection at 275°F (130°C) for 30 to 50 minutes until firm and lightly browned. • After baking, cool completely and fill with fresh fruit, and ice cream or yogurt if desired.

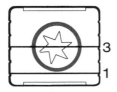

Oven Method: Convection 275°F (130°C), on Rack Positions 1 and 3 for individual nests, or Rack Position 3 for large nest.

Oven Time: Individual nests - 30 minutes.

Large nest - 50 minutes.

Yield: 8 individual nests or one large nest.

STRAWBERRIES 'N CREAM PUFFS

...a simple, colorful tastebud treat.

1/2	cup	water	125	mL
1/4	cup	butter or margarine	50	mL
1/2	cup	all-purpose flour	125	mL
1/4	tsp.	salt	1	mL
2		eggs	2	
1	cup	whipping cream	250	mL
2	tbsp.	powdered icing sugar	25	mL
1	tsp.	vanilla extract	5	mL
2	cups	sliced fresh strawberries	500	mL

Preparation: Preheat oven on Convection to 400°F (205°C). • In a saucepan bring water and butter to a boil on high heat. • Add flour and salt all at once. Beat vigorously until mixture leaves the sides of the pan. Remove from heat and cool slightly. • Add eggs one at a time, beating well after each addition. Continue beating until glossy. • Drop by tablespoon onto 2 lightly-greased baking sheets. • Bake on Convection at 400°F (205°C) for 5 minutes. • Reduce temperature to Convection 350°F (175°C) and bake 25 minutes, until golden. • In the meantime, beat whipping cream, icing sugar and vanilla until stiff. Refrigerate. • After baking, allow puffs to cool completely. • When ready to serve, fold 1 cup (250 mL) of the strawberries into the whipped cream. • Cut the top off each puff and fill with whipped cream mixture. Replace tops. • Spoon the remaining strawberries over the top of each filled puff and dust with icing sugar.

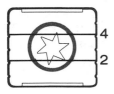

Oven Method: Start at Convection 400°F (205°C) on Rack Positions 2 and 4. Reduce temperature to Convection 350°F (175°C).

Oven Time: 30 minutes.

Yield: Approximately 15 puffs.

ORANGE GLAZED FRUIT KEBOBS

...make a great dessert or a special snack
with your favorite fruits!

1/2	cup	granulated sugar	125	mL
2	tbsp.	corn syrup	25	mL
1/4	cup	butter or margarine	50	mL
3	tbsp.	orange liqueur	45	mL
1/2	tsp.	grated orange rind	2	mL
1/2		fresh pineapple, cut into 1" (2.5 cm) chunks	1/2	
2		bananas, peeled and cut into 1" (2.5 cm) slices	2	
2		oranges, peeled and cut into wedges	2	

Note: If using wooden skewers, soak in water 30 minutes
before threading.

Preparation: Preheat oven on Convection/Broil to 450°F (230°C).
• In a saucepan combine sugar, corn syrup, butter, orange liqueur
and orange rind. Cook on medium heat, stirring until sugar
dissolves. Remove from heat and set glaze aside. • Thread 6
skewers alternately with pineapple, orange and banana pieces.
Brush kebobs on all sides with orange glaze. • Arrange
kebobs on convection roasting rack set into broiler pan.
• Cook on Convection/Broil at 450°F (230°C) for 8 to 10
minutes, until heated through. • After broiling remove from oven
and brush kebobs with remaining glaze. Serve immediately.

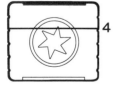

Oven Method: Convection/Broil 450°F (230°C)
on Rack Position 4.

Oven Time: 8 to 10 minutes.

Yield: 6 kebobs.

RHUBARB STRAWBERRY CRISP

...an all time favorite with the extra crispness of almonds.

6	cups	rhubarb, sliced into 1" (2.5 cm) chunks	1.5	L
2	cups	sliced strawberries	500	mL
3/4	cup	granulated sugar	175	mL
		juice of one orange		
1	cup	large flake rolled oats	250	mL
1	cup	firmly packed brown sugar	250	mL
1	cup	all-purpose flour	250	mL
1/2	cup	sliced almonds	125	mL
1/2	cup	butter or margarine, melted	125	mL

Preparation: In an 8 cup (2L) casserole combine rhubarb, strawberries, sugar and orange juice. • In a bowl combine oats, brown sugar, flour, almonds and butter. Mix well. • Spread oat topping evenly over fruit mixture. • Bake on Convection at 325°F (160°C) for 45 to 50 minutes, until topping is deep golden brown and filling is tender. • Remove from oven and serve warm. Top with a scoop of ice cream if desired.

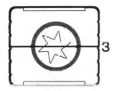

Oven Method: Convection 325°F (160°C) on Rack Position 3.

Oven Time: 45 to 50 minutes.

Yield: 6 - 8 servings.

DESSERTS

OATMEAL CRISPS

...a terrific after school treat with a glass of milk.

1 1/4	cups	vegetable shortening	300 mL
1	cup	firmly packed brown sugar	250 mL
2	cups	all-purpose flour	500 mL
		pinch of salt	
1/2	tsp.	baking soda	2 mL
1/4	cup	hot water	50 mL
1	tsp.	vanilla extract	5 mL
2	cups	large flake rolled oats	500 mL

Preparation: Preheat oven on Convection to 325°F (160°C). • In a bowl combine shortening and sugar. Mix until light and fluffy. • Add flour and salt. Beat well. • Dissolve baking soda in water and mix into the dough. • Add vanilla. • Gradually add oats to the mixture. If dough seems too stiff add a little more hot water. • On 3 lightly-greased cookie sheets, drop dough by rounded tablespoon about 2" (5 cm) apart. • Completely flatten cookies with a fork that has been dipped in hot water. • Bake on Convection at 325°F (160°C) for 10 to 12 minutes, until golden brown and crisp.

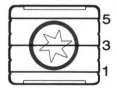

Oven Method: Convection 325°F (160°C) on Rack Positions 1, 3 and 5.

Oven Time: 10 to 12 minutes.

Yield: Approximately 40 cookies.

CONVECTION DESSERT BAKING CHART

Set Cooking Selections to: CONVECTION OR CONVECTION/BAKE

FOOD	SIZE OF BAKING DISH	RACK POSITION	PREHEATED OVEN TEMPERATURE	APPROXIMATE COOKING TIME
COOKIES				
Dropped	Single Sheet	3	350°F/175°C	8-10 min
	Multiple Sheets	1,3,5	350°F/175°C	10-12 min
Rolled	Single Sheet	3	375°F/190°C	8-10 min
	Multiple Sheets	1,3,5	375°F/190°C	10-12 min
Brownies	Square Pan 8" - 9" (20 cm - 23 cm)	2	325°F/160°C	35 min

NOTES

_____

_____

_____

_____

_____

_____

_____

_____

NOTES

DECADENT CAKES & PIES

Convection baking turns pies into evenly golden, flaky masterpieces. The crisped phyllo crust on the Maple Honey Nut Tarte recipe on page 88 is only a hint of the delicious filling it surrounds! The uniformly heated oven turns out an airy Luscious Lemon Roll, on page 93, with a delightful velvety texture.

The size, shape and finish of bakeware all affect the cooking time and appearance of your favorite cakes. Use shiny aluminum pans for delicately browned cakes with tender crusts. Matte or dull finish metal pie plates will consistently produce lighter, flakier pie crusts.

As with most convection recipes, we suggest you watch for desired level of cooking prior to the end of recommended baking times. Test cakes by inserting a tester into the center. If the tester comes out clean, the cake is ready. Pies are done when the filling bubbles slightly and the tops are a decadent golden brown.

convection
Perfection!

MAPLE HONEY NUT TARTE

...a spectacular tribute to the blending of our multi-cultural heritage.

1		pkg. (454 g) phyllo pastry, thawed	1
3/4	cup	butter or margarine, melted	175 mL
Filling:			
1	cup	liquid honey	250 mL
1/4	cup	maple syrup	50 mL
2		eggs	2
1	tbsp.	all-purpose flour	15 mL
1	tbsp.	butter or margarine, melted	15 mL
1	tsp.	vanilla extract	5 mL
1/2	tsp.	cinnamon	2 mL
1/4	tsp.	salt	1 mL
1 1/2	cups	walnut pieces, lightly toasted	375 mL
Glaze:			
2	tbsp.	liquid honey	25 mL
1	tbsp.	butter or margarine, melted	15 mL

Preparation: Preheat oven on Convection/Bake to 300°F (145°C).
• Grease a 10" (25 cm) pie plate. Reserve 10 sheets of phyllo for the top crust. Line pie plate with remaining sheets of phyllo, brushing each sheet with melted butter then layering it into the pie plate to form bottom of pie crust. Tuck in overhanging edges to form a neat rim. • Combine honey, syrup, eggs, flour, butter, vanilla, cinnamon and salt. Mix until smooth. • Stir in walnuts. Pour mixture into phyllo shell. • For top crust, brush one sheet of phyllo with melted butter. Beginning at the long edge, roll to about 1/2" (1 cm) thickness. Shape into a tight spiral and place in center of pie. Repeat with remaining phyllo sheets, arranging rolls in circles around the first one, until the entire surface of the tarte is covered. • Bake on Convection/Bake at 300°F (145°C) for 1 hour. • Meanwhile, combine honey and butter in a bowl. • Remove tarte from oven and brush with honey glaze. • Increase temperature to Convection/Bake 450°F (230°C). Return tarte to oven and bake for about 5 minutes, until the top is golden brown.

Oven Method: Start at Convection/Bake 300°F (145°C) on Rack Position 3. Increase temperature to Convection/Bake 450°F (230°C).

Oven Time: 65 minutes.

Yield: 12 servings.

MAJESTIC BUTTER TARTS

...a royal confection with sweet juicy filling
surrounded by light flaky pastry.

		Sufficient pastry to line 24 medium-sized muffin cups (double the pastry recipe on page 92)		
1	cup	raisins, plumped	250	mL
1 1/2	cups	firmly packed brown sugar	375	mL
1/2	cup	butter melted	125	mL
1/2	cup	corn syrup	125	mL
2		eggs, lightly beaten	2	
1	tsp.	vanilla extract	5	mL
2	tsp.	lemon juice	10	mL
3/4	cup	chopped walnuts	175	mL

Preparation: Preheat oven on Convection to 400°F (205°C). • On a lightly floured surface roll out pastry. Cut out circles to fit medium-sized muffin cups. • To plump raisins cover with boiling water and let stand for 5 minutes. Drain. • In a bowl combine brown sugar, butter, corn syrup, eggs, vanilla and lemon juice. Mix lightly. • Distribute raisins and walnuts evenly in the bottom of pastry shells. • Fill each shell two-thirds full with the syrup mixture. • Bake on Convection at 400°F (205°C) for 5 minutes. • Reduce temperature to Convection 325°F (160°C) and continue baking 12 to 15 minutes until filling is set. • Cool on a wire rack then remove tarts from pans. • Serve warm with a scoop of vanilla ice cream for a crowning touch.

Oven Method: Start at Convection 400°F (205°C) on Rack Positions 2 and 4. Reduce temperature to Convection 325°F (160°C).

Oven Time: 17 to 20 minutes.

Yield: 24 tarts.

PEACH MELBA PIE

...capture the taste of summer with this tempting peach and raspberry combination.

Pastry:

2	cups	all-purpose flour	500	mL
1/2	tsp.	salt	2	mL
3/4	cup	cold lard or shortening	175	mL
4-6	tbsp.	cold water	50-75	mL

Filling:

1		egg white	1	
4	cups	thinly sliced peaches, fresh or canned and drained	1	L
1	tbsp.	fresh lemon juice	15	mL
1	cup	raspberries, fresh or frozen and thawed	250	mL
3/4	cup	granulated sugar	175	mL
3	tbsp.	quick-cooking tapioca	45	mL
1/4	tsp.	salt	1	mL
1	tbsp.	milk	15	mL
1	tsp.	granulated sugar	5	mL

Preparation: In a large bowl combine flour and 1/2 tsp. (2 mL) salt. Cut in lard until mixture resembles fine crumbs with a few larger pieces. • Sprinkle 4 tbsp. (50 mL) of cold water over the flour mixture and briskly stir to make dough hold together. If dough does not hold together add remaining water a little at a time. • Shape into a disc. Wrap and chill for at least 30 minutes. • Let cold pastry stand at room temperature for 15 minutes before rolling. • Preheat oven on Convection to 350°F (175°C). • On a lightly floured surface roll out half of the pastry and line a 9" (23 cm) pie plate. • Brush egg white over bottom and sides of pastry. • In a bowl combine peaches, lemon juice, raspberries, 3/4 cup (175 mL) sugar, tapioca and 1/4 tsp. (1 mL) salt. • Spoon fruit mixture into the pastry shell. • Roll out remaining pastry and place on top of filling. • Trim edges of pastry and flute rim. Cut steam vents into top of pie. • Brush top crust lightly with milk. Sprinkle top with 1 tsp. (5 mL) sugar if desired. • Bake on Convection at 350°F (175°C) for 45 to 55 minutes, until pastry is golden brown.

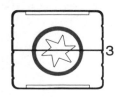

Oven Method: Convection 350°F (175°C) on Rack Position 3.

Oven Time: 45 to 55 minutes.

Yield: 6 to 8 servings.

LUSCIOUS LEMON ROLL

...a lemon lover's dream!

Filling:

3		eggs	3	
3/4	cup	granulated sugar	175	mL
1/3	cup	fresh lemon juice	75	mL
		grated rind of 1 lemon		
1/4	cup	butter or margarine	50	mL

Cake:

1	cup	cake and pastry flour	250	mL
1	tsp.	baking powder	5	mL
1/4	tsp.	salt	1	mL
4		eggs	4	
1	cup	granulated sugar	250	mL
1/4	cup	water	50	mL
1	tsp.	fresh lemon juice	5	mL
		powdered icing sugar		

Preparation: In a saucepan whisk together eggs and sugar until well combined. • Stir in lemon juice, lemon rind and butter. Cook on medium-low heat, stirring constantly until mixture thickens and coats a spoon. • Cover and let cool. Refrigerate. • Preheat oven on Convection to 375°F (190°C). • Blend together flour, baking powder and salt. Set aside. • In a mixing bowl beat eggs until thick and lemon colored, about 5 minutes. • Gradually add sugar. Beat until very thick. • Add water and lemon juice; gently blend in flour mixture. • Grease a 15" x 10" (40 cm x 25 cm) jelly roll pan lined with waxed or parchment paper. Spread batter into pan. • Bake on Convection at 375°F (190°C) for 10 to 12 minutes, until cake springs back when lightly touched. • After baking, turn out immediately onto a clean tea towel that has been lightly dusted with icing sugar. Peel off paper. • Starting at the short end, roll up cake in tea towel. Let cool, seam side down. • Unroll cake. Spread with lemon filling. • Re-roll and place seam side down on serving platter. Dust top with additional icing sugar.

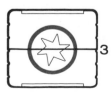

Oven Method: Convection 375°F (190°C) on Rack Position 3.

Oven Time: 10 to 12 minutes.

Yield: 8 to 10 servings.

NANA'S BANANA CAKE

...a moist, tasty, treat any time!

2/3	cup	vegetable shortening	150	mL
1 1/2	cups	firmly packed brown sugar	375	mL
2		eggs	2	
1	tsp.	vanilla extract	5	mL
2/3	cup	sour milk or buttermilk	150	mL
2		medium-sized very ripe bananas, mashed, about 1 cup (250 mL)	2	
2	cups	all-purpose flour	500	mL
2	tsp.	baking powder	10	mL
1	tsp.	baking soda	5	mL
1/2	tsp.	salt	2	mL
1/2	tsp.	cinnamon	2	mL
1	tsp.	granulated sugar	5	mL
1/2	tsp.	cinnamon	2	mL

Note: To sour milk, place 1 tbsp. (15 mL) vinegar in a measuring cup. Add fresh milk to the 2/3 cup (150 mL) level.

Preparation: Preheat oven on Convection to 325°F (160°C). • In a bowl combine shortening and sugar. Beat until light and fluffy. • Mix in eggs, one at a time. • Add vanilla, sour milk and bananas. Mix well. • Combine flour, baking powder, baking soda, salt and 1/2 tsp. (2 mL) cinnamon. Add to the batter and mix until just combined. • Pour batter into a greased 12 cup (3L) tube pan. • Bake on Convection at 325°F (160°C) for 35 to 45 minutes, until a tester inserted into the cake comes out clean. • After baking allow cake to cool 10 minutes before turning out of the pan. • Combine 1 tsp. (5 mL) granulated sugar and 1/2 tsp. (2 mL) cinnamon. • Sprinkle over banana cake.

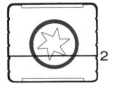

Oven Method: Convection 325°F (160°C) on Rack Position 2.

Oven Time: 35 to 45 minutes.

Yield: 12 servings.

CONVECTION CAKES & PIES BAKING CHART

Set Cooking Selections to: CONVECTION OR CONVECTION/BAKE

FOOD	SIZE OF BAKING DISH	RACK POSITION	PREHEATED OVEN TEMPERATURE	APPROXIMATE COOKING TIME
CAKES				
	Round or Square Pan 8" - 9" (20 cm - 23 cm)			
	Single Pan	2	325°F/160°C	30-35 min
	Multiple Pans	2,4	325°F/160°C	30-35 min
	Rectangular Pan 9" x 13" (23 cm x 33 cm)	2	325°F/160°C	30-35 min
	Bundt Pan 10" (25 cm)	2	325°F/160°C	40-45 min
	Cupcakes	2	325°F/160°C	20-25 min
	Loaf Pan 9" x 5" (23 cm x 13 cm)	2	325°F/160°C	50-60 min
	Angel Food or Spring Form Pan	2	325°F/160°C	35-40 min
PIES				
With Filling	Single 9" (23 cm)	3	375°F/190°C	50-55 min
	Multiple 9" (23 cm)	1,3,5	375°F/190°C	55-60 min
Without Filling	Single 9" (23 cm)	3	375°F/190°C	8-10 min
	Multiple 9" (23 cm)	1,3,5	375°F/190°C	8-10 min

NOTES

_____

_____

_____

NOTES

RECIPE INDEX

convection à la *Perfection!*

...une collection de mets élégants, spécialement conçus pour une préparation simple dans votre four à convection neuf.

PUBLIÉ PAR : INGLIS LIMITÉE, 1901 MINNESOTA COURT, MISSISSAUGA, ONTARIO L5N 3A7

Copyright 1993

Pièce N° 9780959

ISBN N° 0-9696643-0-3

Imprimé au Canada

COUVERTURE:
MUFFINS CRANZINI, PAGE 71

BIENVENUE!

Cette collection de recettes exquises et simples à préparer vous introduira parfaitement à la versatilité de votre nouvelle cuisinière à convection et aux nombreux avantages de ce genre de cuisson.

En plus de délicieuses recettes, nous avons inclus une foule de renseignements, des tableaux de température faciles à utiliser et quelques photographies appétissantes, faisant de ce livre un guide complet de références.

Alors que vous deviendrez de plus en plus familière avec votre cuisinière à convection, utilisez les pages spéciales de notes pour ajouter des renseignements spécifiques au sujet des recettes préférées que vous avez préparées pour votre famille avec la cuisson à convection.

Chacune de ces recettes a été soigneusement mise au point et perfectionnée dans la cuisine expérimentale d'Inglis Limitée. Aux nombreuses personnes qui ont donné leur temps, leur talent et leurs goûts à la création de ce livre, je transmets un remerciement très spécial.

Nous espérons que vous aurez du plaisir à découvrir la Convection à la Perfection!

Lyn Cook

Lyn Cook, P.H. Ec.

REMERCIEMENTS

Inglis Limitée : Rodger Collins-Wright, directeur de produits
Sears Canada Inc. : Emily Bright, directrice nationale des
                     arts ménagers
Adjointe à L. Cook : Patricia Moynihan-Morris

Concept : Saila Design Associates Ltd.
Photographie : Peter Nasmith & Company
Traduction : Dussault Translation Limited
Production et imprimerie : Del/Charters Litho Inc.

TABLE DES MATIÈRES

LIVRE DE RECETTES

INTRODUCTION

Bienvenue à la cuisson avec convection, la technique de cuisson supérieure utilisant l'air chaud qui circule sous l'action d'un ventilateur pour la production efficace de mets délicieux et appétissants.

Convection à la perfection est une intéressante collection de recettes créées spécialement pour vous aider à explorer tous les avantages de votre nouveau four à convection. Chaque recette est accompagnée d'un schéma simple indiquant quel élément utiliser, et quelle position des grilles garantira le succès optimal. Ne manquez pas de consulter votre Guide de l'utilisateur au sujet des méthodes et caractéristiques particulières de votre modèle. À la fin des nombreux chapitres de ce livre de recettes, vous trouverez également un tableau qui vous permettra de facilement convertir vos recettes favorites, que vous utilisez avec un four conventionnel à radiation, pour la cuisson avec convection. Le texte qui suit est une brève introduction des principales différences qu'on observe entre la cuisson conventionnelle et la cuisson avec convection.

CIRCULATION DE L'AIR

Le secret de la cuisson avec convection est le maintien d'une température constante dans toute la cavité du four, pendant toute la durée de la période de cuisson. L'air chaud, qui circule sous l'action du ventilateur de votre four à convection, distribue en permanence la chaleur d'une manière plus uniforme que l'air immobile d'un four conventionnel. Cette différence fondamentale se traduit par une cuisson sur toutes les surfaces d'un mets, ce qui lui permet de retenir l'humidité et sa saveur naturelle. Par conséquent, il faut éviter de masquer, par un grand plat, le ventilateur de circulation de l'air, situé à l'arrière du four, car ceci entraverait la libre circulation de l'air dans la cavité du four. Il est important de ne pas recouvrir les aliments de papier d'aluminium pour que toutes les surfaces demeurent exposées à l'air en mouvement. L'utilisation efficace de la circulation de l'air signifie également que la plupart de vos recettes pour cuisson avec convection peuvent s'accommoder d'une cuisson plus courte et à plus basse température; vous aurez ainsi l'avantage supplémentaire de passer moins de temps dans la cuisine et de réaliser des économies d'énergie.

PRÉCHAUFFAGE

Lorsqu'indiqué dans une recette, le temps normal de préchauffage est d'environ 10 minutes.

CUISSON AVEC CONVECTION - NIVEAUX MULTIPLES

L'avantage pratique immédiat de la méthode de cuisson avec convection est que la circulation de l'air chaud vous permet de charger les grilles du four à la capacité maximale. Vous pouvez par exemple faire cuire quatre miches de pain aussi rapidement que vous en feriez cuire deux, et obtenir une cuisson remarquablement uniforme. Il est aussi possible de faire cuire simultanément le plat principal et les légumes d'accompagnement. Pour l'obtention des meilleurs résultats lors de la cuisson à niveaux multiples, disposez les plats dans des endroits différents sur chaque grille du four, par rapport à la grille du dessus ou du dessous. Veillez à laisser un espace d'au moins 1 po (2,5 cm) entre les divers plats, et entre les plats et les parois du four pour faciliter une distribution uniforme de la chaleur. Le diagramme de la grille représenté ici est inclus avec chacune des recettes suivante. Il indique les caractéristiques de la cuisson avec convection et la position de la grille que vous devez utiliser pour cette recette en particulier. Au réglage cuisson avec convection, l'élément du centre entourant le ventilateur arrière du four est en marche. Au réglage Cuisson avec convection/au gril, l'élément supérieur du four fonctionnera. Au réglage cuisson avec convection/au four, l'élément inférieur fonctionnera. Le ventilateur de convection devra être mis en marche ou fonctionnera automatiquement à chaque réglage de cuisson avec convection, selon votre modèle particulier. Mettre les grilles selon le numéro, de 1 en bas, à 5 en haut.

ÉLÉMENT DE CUISSON AU GRIL

ÉLÉMENT DE CUISSON À CONVECTION

• 5
• 4
• 3   POSITIONS DE
• 2   LA GRILLE
• 1

ÉLÉMENT DE CUISSON AU FOUR

CUISSON AU FOUR ET RÔTISSAGE AVEC CONVECTION

Votre four à convection utilise un système de contrôle de la température précis et constant, assurant des résultats absolument uniformes lors de la cuisson au four et du rôtissage. En particulier, la cuisson d'aliments qui doivent être dorés est accentuée par la méthode de cuisson avec convection. Les aliments cuits avec convection peuvent être placés sur une seule ou plusieurs grilles, selon la quantité à préparer. Lors du rôtissage d'une volaille ou d'une viande, il est possible de réduire la température et la durée de cuisson. Vous constaterez immédiatement la différence de la cuisson avec convection, lorsque vous découperez les juteuses dindes rôties préparées conformément aux recettes de cuisson des volailles.

CUISSON AU GRIL AVEC CONVECTION

La cuisson au gril avec convection est essentiellement une opération de cuisson à haute température avec convection, qui combine la circulation de l'air chaud sous l'effet d'un ventilateur avec le rayonnement thermique direct de l'élément du gril. Nous recommandons de préchauffer le four pour maintenir une température égale pendant la cuisson. Les durées de cuisson au gril avec convection dépendront de la température variable choisie et la position de la grille utilisée. Ne recouvrez pas la grille utilisée pour la cuisson au gril avec du papier d'aluminium, car le papier entraverait la circulation de l'air et augmenterait la durée de cuisson. Au lieu de laisser la porte du four légèrement entrouverte comme dans le cas d'un four conventionnel, la porte du four doit être fermée pendant la cuisson au gril avec convection. L'air qui circule couvre toutes les surfaces de l'aliment, de sorte qu'il n'est presque jamais nécessaire de le retourner.

CHOIX DES USTENSILES DE CUISSON AU FOUR

Le choix des ustensiles de cuisson au four les plus appropriés vous aidera à tirer le meilleur parti des caractéristiques et fonctions remarquables de votre four à convection. Les plats dont les côtés sont peu élevés permettent à l'air en circulation de baigner constamment toutes les surfaces des mets, ce qui favorise une cuisson plus uniforme. Les plats à côtés hauts et les moules à pain doivent être placés sur les grilles inférieures du four, où ils bénéficieront d'une distribution de chaleur optimale. Pour l'obtention d'une surface dorée et plus appétissante, utilisez des plats en métal à finition mate, qui assurent une conduction thermique plus efficace. Les ustensiles de cuisson au four à finition sombre absorbent mieux la chaleur que les surfaces réfléchissantes, ce qui donne des croûtes croustillantes et plus foncées, qui conviennent mieux aux tartes et aux pains. Les moules à muffins, moules à gâteaux et tôles à biscuits brillants tendent à réfléchir la chaleur et à produire des croûtes plus tendres et plus légères. Les plats en verre, en céramique et en acier inoxydable ne peuvent pas transmettre la chaleur aussi efficacement que les récipients en métal.

Maintenant que vous connaissez bien toutes les caractéristiques et fonctions ainsi que le potentiel de votre four à convection, quel sera le premier mets que vous choisirez pour une cuisson avec convection? Au début de chaque chapitre vous trouverez des renseignements supplémentaires sur les divers types d'aliments, suivis de quelques recettes exquises qui vous permettront de débuter. Nous vous offrons tous nos meilleurs voeux de réussite culinaire et de découverte, grâce à la convection à la perfection!

Les techniques de cuisson avec convection sont particulièrement intéressantes pour les viandes, parce qu'elles permettent une meilleure conservation de la saveur et une réduction de la contraction. Il en résulte une viande à la surface externe uniformément brunie, et dont l'intérieur tendre conserve tous les jus naturels. Le mouvement de l'air en circulation préserve les combinaisons de saveurs particulières, comme l'alliance de la pomme et de l'estragon dans les côtelettes de porc farcies, dont la recette est présentée à la page 14.

Avant d'effectuer une cuisson au four ou au gril, badigeonnez toutes les surfaces de la viande tendre avec du beurre ou de l'huile. Ceci améliorera la rétention de l'humidité et favorisera le brunissage. Placez la viande non couverte sur la grille relevée de rôtissage avec convection, pour que la chaleur atteigne librement toutes les surfaces de l'aliment.

Comme l'indique le tableau présenté à la fin de ce chapitre, les méthodes de cuisson au four à convection peuvent réduire la durée de cuisson nécessaire au rôtissage des viandes décongelées, par comparaison à un rôtissage conventionnel. Par conséquent, il convient d'examiner le mets peu avant la fin de la période de cuisson recommandée pour éviter une cuisson excessive.

Insérez un thermomètre à viande précis dans la partie la plus épaisse de la viande, en veillant à ce qu'il ne touche pas un os, de la graisse ou du cartilage. Une fois la température interne désirée atteinte, laissez le jus s'égoutter pour faciliter le découpage.

Les recettes de viandes qui suivent vous offrent l'occasion d'expérimenter avec les divers réglages du four à convection et d'obtenir avec certitude des résultats mémorables lorsque vous commencerez à préparer vos mets favoris.

convection
à la
Perfection!

CÔTES LEVÉES PIQUANTES AU BARBECUE

...une sauce piquante rend ce mets irrésistible!

3-4	lb	de côtes de porc levées, coupées en portions	1,4-1,8 kg
1		oignon moyen, haché	1
3	c. à soupe	d'huile végétale	45 mL
1	tasse	de ketchup	250 mL
3/4	tasse	d'eau	175 mL
1/3	tasse	de jus de citron	75 mL
3	c. à soupe	de cassonade	45 mL
3	c. à soupe	de sauce Worcestershire	45 mL
2	c. à soupe	de moutarde préparée	25 mL
1/2	c. à thé	de sel	2 mL
1/2	c. à thé	de sauce forte au piment	2 mL

Préparation: Disposer les côtes en une seule couche sur la grille de rôtissage placée dans le plat. Faire cuire à 325 °F (160 °C) au réglage Convection/au four pendant 45 minutes. • Entre-temps, dans une casserole, faire sauter l'oignon dans l'huile à feu moyen jusqu'à ce qu'il soit tendre. • Ajouter le ketchup, l'eau, le jus de citron, le sucre, la sauce Worcestershire, la moutarde, le sel et la sauce au piment. Laisser mijoter à feu doux, sans couvrir, pendant 15 minutes. • Retirer les côtes du four. Vider la graisse du plat. • Tremper les côtes dans la sauce et les replacer sur la grille. • Les remettre au four et continuer la cuisson, en les retournant et en les arrosant fréquemment, de 35 à 45 minutes, jusqu'à ce qu'elles soient cuites. • Chauffer et servir le reste de sauce avec les côtes.

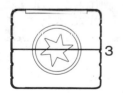

Mode de cuisson: Convection/au four à 325 °F (160 °C) au niveau 3.

Temps de cuisson: 1 1/2 heure.

Donne: 4 portions.

TOURTIÈRE DE RÉVEILLON

...une tarte traditionelle du réveillon de Noël.

1		gousse d'ail, émincée	1	
1		oignon moyen, finement haché	1	
2	c. à soupe	d'huile végétale	25	mL
1 1/2	lb	de porc maigre, haché	750	g
3/4	tasse	d'eau	175	mL
1 1/2	c. à thé	de sarriette déshydratée	7	mL
1	c. à thé	de moutarde en poudre	5	mL
1	c. à thé	de sel	5	mL
1/4	c. à thé	de graines de céleri	1	mL
1/4	c. à thé	de poivre fraîchement moulu	1	mL
3		pommes de terre moyennes, cuites, coupées en cubes	3	
		pâte à tarte pour deux abaisses de 9 po (23 cm), (voir page 92 pour recette de pâte)		
1	c. à soupe	de lait	15	mL

Préparation: Faire chauffer le four à 350 °F (175 °C) au réglage Convection. • Dans une casserole, faire sauter l'ail et l'oignon dans l'huile à feu moyen pendant 5 minutes environ, jusqu'à ce que l'oignon soit ramolli. • Incorporer le porc et continuer la cuisson environ 15 minutes, jusqu'à ce que la viande soit complètement cuite. • Ajouter l'eau, la sarriette, la moutarde en poudre, le sel, les graines de céleri et le poivre. Laisser mijoter à feu doux environ 30 minutes. • Ajouter les pommes de terre au mélange et le laisser refroidir. • Entre-temps, abaisser la moitié de la pâte sur une surface légèrement farinée et foncer un plat à tarte de 9 po (23 cm). • Garnir la pâte avec le mélange à base de viande. • Abaisser le reste de la pâte et la placer sur la garniture. • Rogner les bords et les cranter. Faire des incisions sur la surface. Badigeonner légèrement avec du lait. • Faire cuire au four à 350 °F (175 °C) au réglage Convection pendant 45 à 55 minutes, jusqu'à ce que la croûte soit bien dorée. Une sauce chili maison est un accompagnement délicieux.

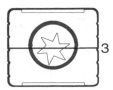

Mode de cuisson: Convection à 350 °F (175 °C) au niveau 3.

Temps de cuisson: 45 à 55 minutes.

Donne: 6 portions.

GIGOT D'AGNEAU AUX FINES HERBES

...une viande relevée et tendre dans un enrobage aromatique.

5	lb	de gigot d'agneau	2,2 kg
1/4	tasse	de farine tout-usage	50 mL
2		gousses d'ail, émincées	2
1	c. à soupe	de persil frais haché menu	15 mL
1	c. à soupe	de romarin frais haché menu	15 mL
		zeste d'un citron râpé	
1/2	c. à thé	de sel	2 mL
1/2	c. à thé	de poivre fraîchement moulu	2 mL
3	c. à soupe	de jus de citron frais	45 mL
1	c. à soupe	d'huile d'olive	15 mL

Préparation: Faire chauffer le four au réglage Convection/au four à 375 °F (190 °C). • Faire des incisions de 1/2 po (1 cm) sur toute la surface du gigot. • Dans un bol, combiner la farine, l'ail, le persil, le romarin, le zeste de citron, le sel et le poivre. Incorporer le jus de citron frais et l'huile d'olive pour faire une pâte. • Enrober toute la surface du gigot avec cette pâte, en la faisant pénétrer dans les incisions. • Laisser reposer à température ambiante pendant 30 minutes, ou réfrigérer, couvert, jusqu'à 24 heures • Mettre le gigot sur la grille de rôtissage placée dans le plat. • Faire rôtir, non couvert, à 375 °F (190 °C) au réglage Convection/au four, pendant 15 minutes. • Réduire la température à 300 °F (145 °C) et laisser rôtir environ 20 minutes par livre (500 g), jusqu'à ce que la température interne indiquée par le thermomètre à viande atteigne 135 °F (58 °C). • Ensuite, retirer le gigot du four et le couvrir de feuille métallique. Le laisser reposer 15 minutes avant de le découper. • Si désiré, préparer une sauce avec le jus de cuisson et servir avec le gigot. • Ce rôti est délicieux, servi avec une gelée de poivron rouge.

Mode de cuisson: Convection/au four à 375 °F (190 °C) au niveau 2 pour commencer. Réduire ensuite la température à 300 °F (145 °C).

Temps de cuisson: 1 3/4 à 2 heures.

Donne: 6 à 8 portions.

ROSBIF D'ÉPAULE MÉDITERRANÉEN

...une marinade aromatique relève délicieusement la saveur de ce rôti.

4-5	lb	de rôti d'épaule désossée, roulé et ficelé	1,8-2,2	kg
1	tasse	de vin rouge sec	250	mL
2/3	tasse	d'huile d'olive ou végétale	150	mL
2	c. à soupe	de concentré de tomate	25	mL
2	c. à soupe	de sucre granulé	25	mL
1	c. à soupe	de raifort préparé	15	mL
1	c. à soupe	de sauce Worcestershire	15	mL
1	c. à thé	de basilic déshydraté	5	mL
1/2	c. à thé	d'origan déshydraté	2	mL
1/2	c. à thé	de sel	2	mL
1		gousse d'ail, broyée	1	

Préparation: Percer plusieurs trous profonds dans le rôti avec une brochette métallique. • Placer la viande dans un grand bol profond non métallique ou un sac en plastique. • Mélanger ensemble le vin, l'huile, le concentré de tomate, le sucre, le raifort, la sauce Worcestershire, le basilic, l'origan, le sel et l'ail. Verser le mélange sur la viande. • Couvrir le bol ou fermer hermétiquement le sac. Réfrigérer de 18 à 24 heures. Retourner la viande plusieurs fois pendant qu'elle marine. • Retirer la viande de la marinade et la mettre sur la grille de rôtissage placée dans le plat. • Faire cuire, non couvert, au four à 300 °F (145 °C) au réglage Convection/au four de 1 1/2 à 2 heures, jusqu'à ce qu'un thermomètre à viande introduit au centre du rôti indique 135 °F (58 °C). • Entre-temps, verser la marinade dans une casserole et la faire mijoter à feu doux de 20 à 30 minutes, jusqu'à ce qu'elle épaississe et forme une sauce. • La cuisson terminée, retirer le rôti du four et le couvrir de feuille métallique. • Laisser reposer 15 minutes avant de découper en tranches fines; servir avec la sauce.

Mode de cuisson: Convection/au four à 300 °F (145 °C) au niveau 2.

Temps de cuisson: 1 1/2 à 2 heures.

Donne: 8 à 10 portions.

CÔTELETTES DE PORC FARCIES

...la combinaison de pomme et d'estragon de la farce donne une saveur originale.

3		oignons verts, hachés	3
4		champignons, en fines tranches	4
1		grosse pomme, épluchée, vidée et hachée menu	1
2	c. à soupe	de beurre ou de margarine	25 mL
1	tasse	de chapelure fraîche	250 mL
1	c. à soupe	de persil frais haché	15 mL
1/2	c. à thé	d'estragon déshydraté	2 mL
1/4	c. à thé	de sel	1 mL
1/4	c. à thé	de poivre fraîchement moulu	1 mL
4		côtelettes de milieu de longe de porc, désossées, de 1 po (2,5 cm) d'épaisseur	4
1/3	tasse	de gelée de pomme, fondue	75 mL

Préparation: Dans une poêle à frire, faire sauter les oignons, les champignons et la pomme dans le beurre à feu moyen, environ 5 minutes, jusqu'à ce qu'ils soient tendres. • Retirer du feu. Ajouter la chapelure, le persil, l'estragon, le sel et le poivre. Bien mélanger. • Fendre chaque côtelette d'un côté de façon à former une poche. • Remplir la poche de chaque côtelette avec la farce. • Placer les côtelettes farcies sur une tôle graissée. Badigeonner le dessus de gelée de pomme. • Faire cuire à 350 °F (175 °C) au réglage Convection/au four pendant 10 minutes. • Retourner les côtelettes et badigeonner le dessus avec de la gelée de pomme. Prolonger la cuisson 5 à 10 minutes, jusqu'à ce que la viande ne soit plus rose. • Servir avec de la gelée de pomme si désiré.

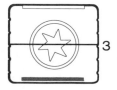
3

Mode de cuisson: Convection/au four à 350 °F (175 °C) au niveau 3.

Temps de cuisson: 15 à 20 minutes.

Donne: 4 portions.

TABLEAU DE CUISSON DE LA VIANDE AU FOUR À CONVECTION

Réglage de cuisson à : CUISSON AVEC CONVECTION/AU FOUR
S - saignant AP - à point BC - bien cuit

ALIMENT	TEMPS DE CUISSON APPROXIMATIF PAR LB (500 g)	POSITION DE LA GRILLE	TEMPÉRATURE DU FOUR NON PRÉCHAUFFÉ	TEMPÉRATURE INTÉRIEURE DE LA VIANDE CUITE
BOEUF				
Côte de boeuf	S - 20-25 min AP - 25-30 min BC - 30-35 min	2	300 °F/145 °C	140 °F/60 °C 160 °F/70 °C 170 °F/75 °C
Entrecôte roulée	S - 22-25 min AP - 27-30 min BC - 32-35 min	2	300 °F/145 °C	140 °F/60 °C 160 °F/70 °C 170 °F/75 °C
Croupe, pointe de surlonge	S - 20-25 min AP - 25-30 min BC - 30-35 min	2	300 °F/145 °C	140 °F/60 °C 160 °F/70 °C 170 °F/75 °C
Morceaux à braiser	35-40 min	2	300 °F/145 °C	170 °F/75 °C
Pain de viande	20-25 min	2	325 °F/160 °C	170 °F/75 °C
VEAU				
Cuisseau, longe, carré	AP - 25-35 min	2	325 °F/160 °C	160 °F/70 °C
Épaule, palette	BC - 30-40 min	2	300 °F/145 °C	170 °F/75 °C
PORC				
Longe	30-40 min	2	325 °F/160 °C	170 °F/75 °C
Épaule	35-40 min	2	325 °F/160 °C	170 °F/75 °C
Filet	25-30 min	2	325 °F/160 °C	170 °F/75 °C
JAMBON				
Frais (cru)	25-35 min	2	300 °F/145 °C	170 °F/75 °C
Précuit	15-20 min	2	300 °F/145 °C	140 °F/60 °C
AGNEAU				
Gigot, épaule	AP - 25-30 min BC - 30-35 min	2 2	300 °F/145 °C	160 °F/70 °C 170 °F/75 °C
Côtelette, carré, filet	AP - 20-25 min BC - 25-30 min	2 2	300 °F/145 °C	160 °F/70 °C 170 °F/75 °C

NOTES

Une volaille rôtie au four à convection est juteuse, et sa peau est croustillante et uniformément dorée. Pour avoir la preuve de l'incroyable différence délicieuse qu'apporte la circulation de l'air lors de la cuisson d'une volaille, consultez la recette de la traditionnelle dinde rôtie à la page 18.

La cuisson au gril avec convection à température variable vous permet de déterminer la rapidité et l'intensité de la cuisson au gril d'une volaille. Vous apprécierez cette fonction particulière lors de la préparation des poitrines de poulet épicées, à la page 23.

Le préchauffage du four est bien souvent inutile, mais nous vous suggérons de consulter d'abord la recette choisie. Comme vous pouvez le remarquer au tableau de conversion à la fin de ce chapitre, les températures recommandées de cuisson avec convection sont généralement inférieures de 25 °F (15 °C) aux températures recommandées de cuisson au four conventionnel.

Une volaille est complètement cuite lorsqu'un thermomètre à viande précis, inséré dans la partie la plus épaisse de la poitrine ou à l'intérieur d'une cuisse, indique 185 °F (85 °C). Le jus qui s'écoule est alors transparent, et la viande devrait se détacher facilement des os.

Pour l'obtention d'une touche finale parfaite, on peut badigeonner la volaille d'un glaçage ou d'une sauce durant la deuxième moitié de la cuisson.

convection à la Perfection!

DINDE RÔTIE AVEC FARCE AU PAIN TRADITIONNELLE

...un mets de fête favori, rapidement préparé!

10	lb	de dinde	4,5 kg
1/2	tasse	de beurre ou de margarine	125 mL
1		gros oignon, haché	1
2	tasses	de céleri haché, avec feuilles	500 mL
10	tasses	de dés de pain frais	2,5 L
1	c. à soupe	de sauce Worcestershire	15 mL
1	c. à soupe	de sarriette déshydratée	15 mL
1/2	c. à thé	de sel	2 mL
1/2	c. à thé	de poivre fraîchement moulu	2 mL

Préparation: Faire chauffer le four à 375 °F (190 °C) au réglage Convection/au four. • Retirer les abattis de la dinde et les réserver pour un autre emploi. • Rincer la cavité de la dinde et éponger. Réserver. • Dans une casserole, combiner le beurre, l'oignon et le céleri. Faire sauter à feu moyen jusqu'à ce que les légumes soient tendres. • Les retirer du feu et les combiner avec la sauce Worcestershire, la sarriette, le sel et le poivre. • Mettre les dés de pain dans un grand bol. Ajouter le mélange à base d'oignon et bien mélanger le tout. • Farcir le corps et le gosier, avec ce mélange. • La mettre sur la grille de rôtissage placée dans le plat. • Faire rôtir, non couvert, à 375 °F (190 °C), au réglage Convection/au four pendant 20 minutes. • Réduire la température à 300 °F (145 °C) et laisser cuire de 14 à 16 minutes par livre (500 g), jusqu'à ce qu'un thermomètre à viande introduit à la partie intérieure de la cuisse indique 185 °F (85 °C) et 165 °F (75 °C) dans la farce. • Durant la dernière demi-heure, arroser avec le jus de cuisson. • La cuisson terminée, retirer la dinde du four et la couvrir de feuille métallique. Laisser reposer 15 minutes avant de découper. • Si désiré, préparer une sauce avec le jus de cuisson pour servir avec la dinde.

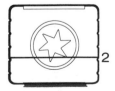

Mode de cuisson: Convection/au four à 375 °F (190 °C) au niveau 2 pour commencer. Réduire ensuite la température à 300 °F (145 °C).

Temps de cuisson: 2 1/2 à 3 heures.

Donne: 8 à 10 portions.

BROCHETTES DE DINDE AIGRES-DOUCES

...une marinade à la fois douce et piquante donne une saveur inédite à la dinde.

1/2	tasse	de miel liquide	125	mL
2	c. à soupe	de moutarde de Dijon	25	mL
1	c. à thé	de sauce soja	5	mL
1/4	c. à thé	de gingembre moulu	1	mL
1 1/2	lb	de poitrine de dinde, désossée et sans peau, coupée en cubes de 1 po (2,5 cm)	750	g
1		gros oignon rouge, coupé en 8 quartiers	1	
2		petites (ou 1 grosse) courgettes, coupées en 16 rondelles	2	
1	c. à soupe	de graines de sésame	15	mL

Remarque: Si l'on utilise des brochettes en bois, les faire tremper dans l'eau froide pendant 30 minutes avant d'y enfiler la viande.

Préparation: Faire chauffer le four à 400 °F (205 °C) au réglage Convection/au gril. • Dans un petit bol, combiner le miel, la moutarde, la sauce soja et le gingembre. Mettre de côté. • Enfiler alternativement les cubes de dinde, les quartiers d'oignon et les rondelles de courgettes sur 8 brochettes, en commençant et en terminant par la dinde. • Badigeonner les brochettes de mélange à base de miel et de moutarde et les saupoudrer de graines de sésame. • Disposer les brochettes sur la grille de rôtissage placée dans le plat. • Faire griller les brochettes pendant 10 minutes à 400 °F (205 °C), puis les badigeonner du reste de sauce au miel. • Faire griller 8 à 10 minutes de plus, jusqu'à ce que le jus suintant de la viande soit limpide.

Mode de cuisson: Convection/au gril à 400 °F (205 °C) au niveau 4.

Temps de cuisson: 18 à 20 minutes.

Donne: 8 brochettes.

POULET PANÉ FRIT

...un mets savoureux, facile à préparer, qui plaît à tous.

2/3	tasse	de chapelure sèche	150 mL
1/3	tasse	de semoule de maïs	75 mL
1/3	tasse	de farine tout-usage	75 mL
1	c. à soupe	de persil émietté déshydraté	15 mL
2	c. à thé	de paprika	10 mL
1	c. à thé	de sel au céleri	5 mL
1/2	c. à thé	de cari	2 mL
1/2	c. à thé	de poivre fraîchement moulu	2 mL
3/4	tasse	de babeurre	175 mL
3	lb	de cuisses et pilons de poulet	1,5 kg
2	c. à soupe	de beurre (ou de margarine), fondu	25 mL
2	c. à soupe	d'huile végétale	25 mL

Préparation: Dans un grand bol ou un sac en plastique, combiner la chapelure, la semoule de maïs, la farine, le persil, le paprika, le sel au céleri, le cari et le poivre. • Verser le babeurre dans un plat peu profond. • Bien rincer les morceaux de poulet et les éponger. • Les tremper dans le babeurre. Les égoutter brièvement. Les enrober complètement de panure. • Placer les morceaux de poulet panés dans un plat de cuisson à bords étroits, graissé. • Combiner le beurre et l'huile et en asperger uniformément les morceaux de poulet. • Faire cuire au four à 350 °F (175 °C) au réglage Convection/au four pendant environ 45 minutes, jusqu'à ce que l'enrobage soit bien doré et que le jus suintant du poulet soit limpide.

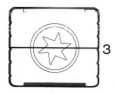
3

Mode de cuisson: Convection/au four à 350 °F (175 °C) au niveau 3.

Temps de cuisson: Environ 45 minutes.

Donne: 6 portions.

POITRINES DE POULET ÉPICÉES AVEC SALSA À LA TOMATE

...délicieuses servies sur un petit pain croustillant.

4		poitrines de poulet désossées, sans peau	4	
1	c. à soupe	d'huile d'olive	15	mL
2	c. à thé	de paprika	10	mL
2	c. à thé	de cassonade	10	mL
1/2	c. à thé	de piment de cayenne	2	mL
1/2	c. à thé	de moutarde en poudre	2	mL
1/4	c. à thé	de sel	1	mL

Préparation: Faire chauffer le four à 425 °F (220 °C) au réglage Convection/au gril. • Enduire légèrement d'huile d'olive les deux côtés des poitrines. • Dans un petit bol, combiner le paprika, la cassonade, le piment de cayenne, la moutarde et le sel. • Saupoudrer les deux côtés des poitrines avec ce mélange. Laisser reposer à température ambiante pendant 30 minutes. • Disposer les poitrines de poulet sur la grille de rôtissage placée dans le plat. • Les faire griller à 425 °F (220 °C) au réglage Convection/au gril pendant 12 à 15 minutes, jusqu'à ce que le jus qui suinte soit limpide. • Servir le poulet avec la salsa à la tomate.

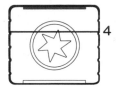 4

Mode de cuisson: Convection/au gril à 425 °F (220 °C) au niveau 4.

Temps de cuisson: 12 à 15 minutes.

Donne: 4 portions.

SALSA À LA TOMATE *Donne:* 1 1/2 tasse (375 mL).

2		tomates moyennes, hachées menu	2	
1/2	tasse	de concombre, haché menu	125	mL
1/2	tasse	de poivron vert, haché menu	125	mL
4		oignons verts, hachés menu	4	
1	c. à soupe	de coriandre fraîche (ou de persil), hachée	15	mL
2	c. à soupe	d'huile d'olive	25	mL
1	c. à soupe	de jus de citron frais sel et poivre au goût	15	mL

Préparation: Dans un bol, combiner les tomates, le concombre, le poivron, les oignons verts, la coriandre, l'huile d'olive, le jus de citron, le sel et le poivre. • Réserver pour servir avec les poitrines de poulet.

23

CANETON RÔTI GLACÉ À L'ORANGE

...la succulente saveur du caneton s'accorde à la perfection avec le glaçage à l'orange.

4-5	lb	de caneton	1,8-2,2 kg
1		pomme, vidée et coupée en quartiers	1
1/2	tasse	de marmelade d'orange	125 mL
1	c. à thé	de zeste d'orange râpé	5 mL
1	c. à thé	de sauce soja	5 mL
1	c. à thé	de moutarde de Dijon	5 mL
1/2	c. à thé	de gingembre moulu	2 mL

Préparation: Faire chauffer le four à 400 °F (205 °C) au réglage Convection/au four. • Retirer les abattis et le cou du caneton et les réserver pour un autre emploi. Rincer le caneton, l'éponger et retirer l'excédent de gras. • Placer les quartiers de pomme à l'intérieur. Attacher les pattes ensemble. Fixer la peau du cou au dos avec une brochette. Perforer le caneton avec une fourchette à plusieurs endroits. • Mettre le caneton sur la grille de rôtissage placée dans le plat. • Faire rôtir, non couvert, à 400 °F (205 °C) pendant 30 minutes. • Entre-temps, dans une petite casserole, combiner la marmelade, le zeste d'orange, la sauce soja, la moutarde et le gingembre. Faire cuire à feu doux jusqu'à ce que la marmelade ait fondu. Mettre de côté. • Retirer le caneton du four et vider la graisse. • Réduire la température à 350 °F (175 °C). • Arroser le caneton avec la moitié du glaçage et le remettre au four pendant 30 autres minutes. L'arroser de nouveau et continuer la cuisson pendant 20 à 30 minutes, jusqu'à ce que la viande soit tendre quand on la perce et que la peau soit brun doré. • La cuisson terminée, retirer le caneton du four et jeter les quartiers de pomme. Découper le caneton en deux ou en quatre pour le servir.

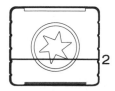

Mode de cuisson: Convection/au four à 400 °F (205 °C) au niveau 2 pour commencer. Réduire ensuite la température à 350 °F (175 °C).

Temps de cuisson: 1 1/4 à 1 1/2 heure.

Donne: 2 à 4 portions.

TABLEAU DE CUISSON DE LA VOLAILLE AU FOUR À CONVECTION
Réglage de cuisson à : CUISSON AVEC CONVECTION/AU FOUR

ALIMENT	POIDS APPROXIMATIF	TEMPS DE CUISSON APPROXIMATIF PAR LB (500 g)	POSITION DE LA GRILLE	TEMPÉRATURE DU FOUR NON PRÉCHAUFFÉ	TEMPÉRATURE INTÉRIEURE DE LA VIANDE CUITE
Poulet entier	3 - 5 lb (1,5 - 2,2 kg)	20-25 min	2	325 °F/160 °C	185 °F/85 °C
Morceaux, quartiers	3 lb (1,5 kg)	18-25 min	2 ou 3	325 °F/160 °C	185 °F/85 °C
Dinde, sans farce	13 lb et moins (5,85 kg)	10-15 min	2	300 °F/145 °C	185 °F/85 °C
	plus de 13 lb (5,85 kg)	10-12 min	1 ou 2	300 °F/145 °C	185 °F/85 °C
Chapon, Sans farce	4 - 7 lb (1,8 - 3,1 kg)	15-20 min	2	325 °F/160 °C	185 °F/85 °C
Canard	3 - 5 lb (1,5 - 2,2 kg)	25-30 min puis 15 min	2	325 °F/160 °C 400 °F/205 °C	185 °F/85 °C 185 °F/85 °C
Oie	4 - 8 lb (1,8 - 3,6 kg)	30-35 min	2	300 °F/145 °C	185 °F/85 °C
Poule de Cornouailles	1 - 1,5 lb (0,5 - 0,7 kg)	50-60 min	2 ou 3	325 °F/160 °C	185 °F/85 °C

Les volailles farcies peuvent exiger un temps de cuisson prolongée.

NOTES

•

NOTES

POISSONS ET FRUITS DE MER DÉLICATS

Diverses méthodes de cuisson au four à convection permettent la préparation élégante d'une variété illimitée de poissons et fruits de mer. Le système de réglage de la température de cuisson au gril avec convection permet une cuisson plus douce que la cuisson au gril dans un four conventionnel. La recette des crevettes aux agrumes (à la page 28) donne des crevettes appétissantes et succulentes. La cuisson au four avec convection préserve la saveur délicate et la texture des filets de sole aux amandes de la recette à la page 31.

Nous recommandons qu'avant la cuisson au gril avec convection vous badigeonniez toutes les surfaces des fruits de mer avec de l'huile ou du beurre. Réduisez la température du four pour la cuisson au gril de minces filets et utilisez une température plus élevée pour la cuisson au gril de darnes de poissons plus épaisses. Une température plus basse peut nécessiter une période de cuisson plus longue, mais la circulation de l'air chaud élimine le besoin de manipuler ou de retourner un poisson fragile au cours de la cuisson avec convection.

Le test du poisson et des fruits de mer au cours des dernières minutes de la cuisson recommandée assurera un résultat parfait, sans cuisson excessive. Lorsque la chair du poisson est opaque et s'effeuille facilement, il est temps de le retirer du four et de le servir.

convection
à la
Perfection!

BROCHETTES DE CREVETTES AUX AGRUMES

...bouquet d'agrumes et d'aneth avec un goût bien différent.

24		grosses crevettes crues, décortiquées et déveinées	24
1/2	tasse	de jus de pamplemousse	125 mL
1/4	tasse	d'huile végétale	50 mL
2	c. à soupe	d'aneth frais, haché	25 mL
2		oignons verts, hachés menu	2
1/4	c. à thé	de sauce forte au piment	1 mL
1/4	c. à thé	de sel	1 mL
1		orange, pelée et séparée en quartiers	1
1		pamplemousse, pelé et séparé en quartiers	1

Remarque: Si l'on utilise des brochettes en bois, les faire tremper dans l'eau froide pendant 30 minutes avant d'y enfiler les crevettes.

Préparation: Faire chauffer le four à 400 °F (205 °C) au réglage Convection/au gril. • Placer les crevettes dans un grand bol non métallique. Ajouter le jus, l'huile, l'aneth, les oignons, la sauce forte au piment et le sel; bien mélanger. • Laisser mariner à température ambiante pendant 30 minutes. • Enfiler alternativement les crevettes, les quartiers d'orange et de pamplemousse sur 6 brochettes; badigeonner les brochettes avec la marinade. • Mettre les brochettes sur la grille de rôtissage placée dans le plat. • Faire griller les brochettes à 400 °F (205 °C) au réglage Convection/au gril pendant 5 minutes, puis les badigeonner avec le reste de la marinade. • Faire griller 3 à 5 minutes de plus jusqu'à ce que les crevettes deviennent rose vif.

Mode de cuisson: Convection/au gril à 400 °F (205 °C) au niveau 4.

Temps de cuisson: 8 à 10 minutes.

Donne: 6 brochettes.

FILETS DE SOLE AUX AMANDES

...un mélange classique de filets dorés et d'amandes légèrement grillées.

1/2	tasse	de farine tout-usage	125	mL
1/2	c. à thé	de paprika	2	mL
1	lb	de filets de sole	500	g
2	c. à soupe	de beurre (ou de margarine), fondu	25	mL
2	c. à soupe	d'huile végétale	25	mL
1/2	tasse	d'amandes effilées	125	mL

Préparation: Dans un plat peu profond, combiner la farine et le paprika. • Enrober chaque filet du mélange de farine. • Placer les filets enrobés dans un plat de cuisson à bords étroits, mais suffisamment grand pour y mettre tous les filets en une seule couche. • Combiner le beurre et l'huile. Badigeonner et recouvrir complètement chaque filet avec le mélange. • Arranger les amandes effilées uniformément sur les filets. • Faire cuire au réglage Convection à 400 °F (205 °C) pendant 12 à 15 minutes jusqu'à ce que le poisson s'effeuille facilement. • Servir immédiatement avec des morceaux de citron.

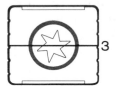

Mode de cuisson: Convection à 400 °F (205 °C) au niveau 3.

Temps de cuisson: 12 à 15 minutes.

Donne: 4 portions.

SAUMON FARCI AU RIZ SAUVAGE

...une présentation spectaculaire garnie avec des morceaux de citron et des brins d'aneth.

3-5	lb	de saumon entier	1,5 - 2,2 kg
1		oignon moyen, haché	1
1	tasse	de champignons frais, émincés	250 mL
2	c. à soupe	de beurre ou de margarine	25 mL
2	tasses	de riz sauvage cuit	500 mL
1	cannette	de châtaignes d'eau, égouttées, 10 oz (284 mL)	1
2	c. à soupe	d'aneth frais, haché	50 mL
1/2	c. à thé	de poivre au citron	2 mL
1/4	c. à thé	de sel	1 mL
		huile végétale	

Préparation: Essuyer la cavité intérieure et la surface extérieure du saumon avec un linge humide. • Dans une poêle à frire, faire sauter l'oignon et les champignons dans le beurre sur feu moyen pendant 5 minutes jusqu'à ce qu'ils soient tendres. Enlever du feu. • Incorporer le riz, les châtaignes d'eau, l'aneth, le poivre au citron et le sel. • Remplir la cavité du saumon avec la farce à l'aneth et au riz. Coudre l'ouverture avec un fil épais. • Badigeonner le saumon avec l'huile végétale. • Mettre le saumon farci sur la grille de rôtissage placée dans le plat. • Faire cuire, non couvert, à 350 °F (175 °C) au réglage Convection/au four jusqu'à ce que la partie la plus épaisse du poisson s'effeuille lors d'un test à la fourchette. Enlever le fil. • Garnir avec des morceaux de citron et des brins d'aneth frais avant de servir.

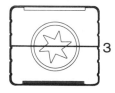

Mode de cuisson: Convection/au four à 350 °F (175 °C) au niveau 3.

Temps de cuisson: 35 à 50 minutes.

Donne: 6 à 8 portions.

DARNES DE FLÉTAN AUX CHAMPIGNONS ET AUX FINES HERBES

...un poisson tendre délicatement assaisonné de fines herbes fraîches.

2	lb	de darnes de flétan	1	kg
1/2	tasse	de vin blanc sec	125	mL
1/4	tasse	d'huile végétale	50	mL
2	c. à soupe	de jus de citron	25	mL
1		gousse d'ail, émincée	1	
1/4	tasse	de ciboulette fraîche, hachée ou oignons verts	50	mL
1/4	tasse	de persil frais, haché	50	mL
1	c. à thé	de zeste de citron râpé poivre fraîchement moulu, au goût	5	mL
2	tasses	de champignons frais, émincés	500	mL

Préparation: Faire chauffer le four à 425 °F (220 °C) au réglage Convection/au gril. • Placer les darnes de flétan dans un plat en verre peu profond. • Combiner le vin, l'huile végétale, le jus de citron, l'ail, la ciboulette, le persil, le zeste de citron et le poivre. Verser sur les darnes de flétan et laisser mariner pendant une heure. • Les égoutter et conserver la marinade. • Mettre les darnes de flétan sur la grille de rôtissage placée dans le plat. • Faire griller à 425 °F (220 °C) au réglage Convection/au gril pendant 10 à 15 minutes, jusqu'à ce que le poisson s'effeuille facilement. • Entre-temps, dans une casserole, mélanger le reste de la marinade et les champignons émincés. Faire cuire à feu moyen jusqu'à ce que les champignons soient tendres. • Répartir à la cuiller les champignons et les herbes sur les darnes de flétan et servir.

Mode de cuisson: Convection/au gril à 425 °F (220 °C) au niveau 4.

Temps de cuisson: 10 à 15 minutes.

Donne: 4 portions.

PÂTÉS DE CRABE DES MARITIMES

...mets rapide, croustillant et délicieux.

1/4	tasse	de céleri, haché menu	50 mL
1/4	tasse	d'oignon, haché menu	50 mL
1	c. à soupe	de beurre ou de margarine	15 mL
8	oz	de chair de crabe	250 g
1	tasse	de biscuits soda, finement écrasés	250 mL
2		oeufs, battus	2
2	c. à soupe	de mayonnaise ou sauce à salade	25 mL
1	c. à soupe	de persil frais, haché	15 mL
1	c. à thé	de moutarde de Dijon	5 mL
1	c. à thé	de sauce Worcestershire	5 mL
1	c. à thé	de paprika	5 mL
1	tasse	de miettes de flocons de maïs	250 mL
3	c. à soupe	de beurre (ou de margarine), fondu	45 mL

Remarque: Cette recette peut facilement être doublée.

Préparation: Faire chauffer le four à 400 °F (205 °C) au réglage Convection. • Dans une poêle à frire, faire sauter le céleri et l'oignon dans une c. à soupe (15 mL) de beurre sur feu moyen pendant 5 minutes jusqu'à ce qu'ils soient tendres. Enlever du feu. • Dans un grand bol, combiner la chair de crabe, les miettes de biscuits soda, les oeufs, la mayonnaise, le persil, la moutarde, la sauce Worcestershire et le paprika. • Ajouter le mélange de céleri et combiner le tout à fond. • Refroidir le mélange pendant 2 heures. • À la cuiller, faire 12 monticules et les former en pâtés. • Recouvrir chaque pâté de miettes de flocons de maïs et les mettre sur deux tôles à biscuits légèrement graissées. Asperger 2 c. à soupe (25 mL) de beurre fondu sur les pâtés de crabe. • Faire cuire à 400 °F (205 °C) au réglage Convection pendant 10 minutes. Retourner les pâtés de crabe et continuer la cuisson pendant 8 à 10 minutes jusqu'à ce qu'ils soient bien dorés.

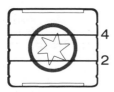

Mode de cuisson: Convection à 400 °F (205 °C) aux niveaux 2 et 4.

Temps de cuisson: 18 à 20 minutes.

Donne: 6 portions.

POISSONS ET FRUITS DE MER

NOTES

LÉGUMES ET PLATS D'ACCOMPAGNEMENT SAVOUREUX

La cuisson au four des légumes n'est plus limitée aux pommes de terre! Vous pouvez profiter de la technique de cuisson sur plusieurs niveaux et préparer des mets d'accompagnement appétissants et chauds en même temps que votre plat principal. La distribution continue de la chaleur à travers la cavité du four à convection vous permet de préparer efficacement une variété de plats d'accompagnement et de légumes.

Lors de la préparation de vos recettes préférées, n'oubliez pas que les plats profonds en verre ou en céramique peuvent nécessiter une cuisson plus longue. Pour obtenir une cuisson à point au centre du mets, sans brunissage excessif des bords externes du mets, réduisez la température du four d'au moins 25 °F (15 °C), mais pas au-dessous de 300 °F (145 °C).

Cette rafraîchissante sélection de recettes vous familiarisera avec la flexibilité que vous offre la cuisson avec convection pour la planification de délicieux repas complets. Faites déguster à votre famille une variété de vos mets préférés.

convection
à la
Perfection!

BOUCHÉES CROUSTILLANTES AUX LÉGUMES

...une façon appétissante de servir des légumes aux enfants de tous les âges.

1/3	tasse	de farine tout-usage	75 mL
1/2	c. à thé	de paprika	2 mL
1 1/4	tasse	de mie de pain émiettée	300 mL
1/2	tasse	de parmesan, râpé	125 mL
1	c. à thé	de basilic déshydraté	5 mL
1	c. à thé	d'origan déshydraté	5 mL
2		oeufs, légèrement battus	2
2	c. à soupe	de lait	25 mL
18		champignons, de taille moyenne	18
1		grosse courgette, coupée en rondelles de 1/2 po (1 cm)	1
1/4	tasse	de beurre (ou de margarine), fondu	50 mL

Préparation: Faire chauffer le four à 425 °F (220 °C) au réglage Convection. • Combiner la farine et le paprika dans un sac en plastique. • Dans un autre sac en plastique, combiner la mie de pain, le fromage, le basilic et l'origan. • Combiner les oeufs et le lait dans un petit bol. • Secouer les légumes dans le sac contenant le mélange de farine; ensuite, les tremper dans le mélange d'oeufs. • Les secouer dans le mélange de mie de pain pour les enrober complètement. • Placer les légumes recouverts de panure dans deux plats de cuisson peu profonds et légèrement graissés. Arroser de beurre. • Faire cuire à 425 °F (220 °C) au réglage Convection pendant 12 à 15 minutes jusqu'à ce que les légumes soient croquants et bien dorés. • Servir avec la trempette piquante.

Mode de cuisson: Convection à 425 °F (220 °C) aux niveaux 2 et 4.

Temps de cuisson: 12 à 15 minutes.

Donne: Environ 30 morceaux de légumes.

TREMPETTE PIQUANTE
Donne: Environ 3/4 tasse (175 mL).

1/4	tasse	de crème sure	50 mL
1/4	tasse	de sauce à salade	50 mL
1/4	tasse	de sauce chili	50 mL
2	c. à soupe	de ciboulette, hachée	25 mL
1	c. à soupe	de jus de citron	15 mL
1	c. à soupe	de raifort	15 mL

Préparation: Dans un bol, mélanger la crème sure, la sauce à salade, la sauce chili, la ciboulette, le jus de citron et le raifort. Réfrigérer jusqu'au moment de l'utiliser.

BROCHETTES DE LÉGUMES À LA GRECQUE

...piquantes, appétissantes et se préparent en un instant!

1/4	tasse	d'huile d'olive	50	mL
1/4	tasse	d'huile végétale	50	mL
2	c. à soupe	de jus de citron frais	25	mL
1		grosse gousse d'ail, émincée	1	
1/2	c. à thé	d'origan déshydraté	2	mL
2		oignons verts, hachés menu	2	
1/4	c. à thé	de poivre fraîchement moulu	1	mL
12		gros champignons	12	
1		gros poivron jaune, coupé en 12 carrés	1	
1		grosse courgette, coupée en morceaux de 1/2 po (1 cm)	1	
1		grosse tomate ferme, coupée en 6 quartiers	1	

Remarque: Si l'on utilise des brochettes en bois, les faire tremper dans l'eau froide pendant 30 minutes avant d'y enfiler les légumes.

Préparation: Faire chauffer le four à 400 °F (205 °C) au réglage Convection/au gril. • Dans un grand bol non métallique, combiner l'huile d'olive, l'huile végétale, le jus de citron, l'ail, l'origan, les oignons et le poivron. Ajouter les légumes et les mélanger pour bien les enrober. • Laisser le mélange mariner à température ambiante pendant 30 minutes. • Enfiler alternativement les légumes sur 6 brochettes. • Disposer les brochettes sur la grille de rôtissage placée dans le plat et badigeonner avec la marinade. • Faire griller à 400 °F (205 °C) au réglage Convection/au gril pendant 5 minutes. Badigeonner les brochettes avec le reste de la marinade. • Faire cuire pendant 5 autres minutes, jusqu'à ce que les légumes soient tendres.

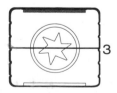

Mode de cuisson: Convection/au gril à 400 °F (205 °C) au niveau 3.

Temps de cuisson: 10 minutes.

Donne: 6 portions.

TARTE AU FROMAGE, AU BROCOLI ET AUX CAROTTES

...un repas léger et sain par lui-même, ou un accompagnement merveilleux pour le poulet et le poisson.

1/3	tasse	de beurre (ou de margarine), fondu	75 mL
3	tasses	de mie de pain émiettée	750 mL
1	c. à soupe	de graines de sésame	15 mL
3	tasses	de fleurs de brocoli, cuites	750 mL
1	tasse	de rondelles de carottes, cuites	250 mL
1	tasse	de lait	250 mL
2		oeufs	2
1/2	tasse	de farine tout-usage	125 mL
1/2	c. à thé	de sauce Worcestershire	2 mL
1/4	c. à thé	de sauce forte au piment	1 mL
2	tasses	de cheddar, râpé	500 mL

Préparation: Faire chauffer le four à 350 °F (175 °C) au réglage Convection/au four. • Dans un bol, combiner le beurre, la mie de pain et les graines de sésame. Garnir le fond et les parois d'un moule à tarte de 9 po (23 cm), graissé, avec ce mélange. • Faire cuire au réglage Convection/au four à 350 °F (175 °C) pendant 20 minutes, jusqu'à que ce soit légèrement grillé. • Mettre le brocoli et les carottes dans la croûte cuite. • Dans un mélangeur ou robot de cuisine, mélanger le lait, les oeufs, la farine, la sauce Worcestershire et la sauce forte au piment. • Ajouter 1 1/2 tasse (375 mL) de cheddar râpé et mélanger. • Verser le mélange sur les légumes et répartir la demi-tasse (125 mL) de fromage qui reste sur le dessus de la tarte. • Faire cuire à 350 °F (175 °C) au réglage Convection/au four pendant 35 à 40 minutes jusqu'à ce que la garniture soit ferme et le dessus légèrement bruni. • Après la cuisson, laisser reposer 5 minutes avant de découper.

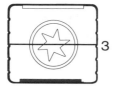

Mode de cuisson: Convection/au four à 350 °F (175 °C) au niveau 3.

Temps de cuisson: 55 à 60 minutes.

Donne: 6 à 8 portions.

42

POMMES DE TERRE ET NAVETS AU GRATIN

...un mets crémeux avec un soupçon de muscade et d'ail.

1		gousse d'ail, émincée	1	
1		petit oignon, haché menu	1	
2	c. à soupe	de beurre ou de margarine	25	mL
1 1/2	lb	de pommes de terre nouvelles	750	g
1/2	lb	de petits navets blancs, épluchés	250	g
1/4	c. à thé	de sel	1	mL
1/4	c. à thé	de poivre fraîchement moulu pincée de muscade	1	mL
1	tasse	de bouillon de poulet	250	mL
1	tasse	de crème à fouetter	250	mL

Préparation: Dans une poêle à frire, faire sauter l'ail et l'oignon dans le beurre à feu moyen jusqu'à ce qu'ils soient tendres. • Couper les pommes de terre et les navets en tranches très minces. • Dans un plat rond à cuisson graissé de 9 po (23 cm), mettre la moitié des tranches de pommes de terre, toutes les tranches de navets et le mélange à l'ail. • Recouvrir avec le reste des pommes de terre et saupoudrer de sel, de poivre et de muscade. • Verser le bouillon de poulet et la crème sur les couches de légumes. • Faire cuire à 350 °F (175 °C) au réglage Convection/au four pendant environ 45 minutes jusqu'à ce que le dessus soit croustillant et les légumes tendres. • Après la cuisson, laisser reposer 5 minutes avant de servir.

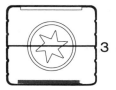

Mode de cuisson: Convection/au four à 350 °F (175 °C) au niveau 3.

Temps de cuisson: 45 minutes.

Donne: 6 à 8 portions.

POMMES DE TERRE RÔTIES AU CITRON

...une variante appétissante d'un ancien mets favori!

3		grosses pommes de terre à cuire au four	3
1/4	tasse	de beurre (ou de margarine), fondu	50 mL
2	c. à soupe	d'huile d'olive	25 mL
1		gousse d'ail, émincée	1
1	c. à soupe	de jus de citron	15 mL
1	c. à thé	de poivre au citron	5 mL
1/2	c. à thé	de sel	2 mL

Variante: Remplacer le jus de citron et le poivre au citron par 1 c. à thé (5 mL) de vos fines herbes préférées.

Préparation: Bien brosser les pommes de terre. Couper chaque pomme de terre en deux dans le sens de la longueur; ensuite, couper chaque moitié en 3 morceaux. • Dans un bol, combiner le beurre, l'huile, l'ail, le jus de citron, le poivre au citron et le sel. • Enrober les morceaux de pommes de terre avec le mélange au citron, puis les mettre dans un plat de cuisson peu profond, graissé. • Verser le reste du mélange sur les pommes de terre. • Faire cuire à 400 °F (205 °C) pendant 20 minutes. Retourner les pommes de terre et continuer à faire cuire pendant 10 à 20 minutes supplémentaires jusqu'à ce qu'elles soient dorées et tendres.

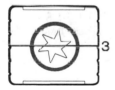

Mode de cuisson: Convection à 400 °F (205 °C) au niveau 3.

Temps de cuisson: 30 à 40 minutes.

Donne: 4 à 6 portions.

NOTES

INCROYABLES METS À BASE D'OEUFS ET DE FROMAGE

Vous serez ravie de la grande différence que peut faire la cuisson avec convection, particulièrement lors de la préparation de mets sensibles aux fluctuations de la température du four.

Lorsqu'une température constante est maintenue dans toute la cavité du four, il devient facile de produire un fabuleux soufflé caractérisé par une texture interne légère et une exquise croûte dorée. Vous obtiendrez des résultats incroyables lors de la préparation du soufflé à l'emmenthal et au jambon (page 52), car les blancs d'oeufs lèvent uniformément tandis que la merveilleuse saveur du fromage s'y mêle doucement. Chaque recette de ce chapitre sera une délicieuse addition à votre liste de mets favoris et simples, pour les soupers et les repas préparés d'avance.

Grâce à la circulation constante de l'air dans le four à convection, la plupart des mets à base d'oeufs et de fromage montent mieux et sont plus légers. Centrez les plats sur la grille pour efficacement utiliser la chaleur uniformément distribuée et obtenir en toute certitude d'excellents résultats avec vos incroyables plats à base d'oeufs et de fromage.

convection
à la
Perfection!

PAIN DORÉ AUX BLEUETS ET À LA CRÈME

...un nouveau mets absolument délicieux!

8	oz	de fromage à la crème, ramolli	250 g
1/3	tasse	de sucre granulé	75 mL
1	c. à thé	d'extrait de vanille	5 mL
1/4	tasse	de beurre (ou de margarine), ramolli	50 mL
		zeste râpé d'une orange	
4		oeufs	4
2 1/2	tasses	de lait	625 mL
1		pain français, coupé en tranches de 1 po (2,5 cm)	1
1	tasse	de bleuets, frais ou congelés, et décongelés	250 mL

Préparation: Faire chauffer le four à 325 °F (160 °C) au réglage Convection. • Dans un grand bol, combiner le fromage à la crème, le sucre, la vanille, le beurre et le zeste d'orange jusqu'à l'obtention d'un mélange homogène. • Ajouter les oeufs, un à la fois en mélangeant bien après chaque addition. Incorporer le lait. • Étaler le pain en rangées dans un plat de cuisson graissé de 9 x 13 po (23 x 33 cm). • Verser le mélange de fromage à la crème de façon égale sur le pain. Laisser reposer pendant au moins 15 minutes. • Juste avant la cuisson, badigeonner le dessus de chaque tranche de pain avec le mélange de fromage du plat. Répartir les bleuets sur le dessus. • Faire cuire à 325 °F (160 °C) au réglage Convection pendant 35 à 40 minutes jusqu'à ce que le pain soit bien doré. • Après la cuisson, couper en morceaux et servir avec la sauce tiède aux bleuets et à l'orange.

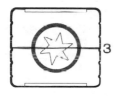

Mode de cuisson: Convection à 325 °F (160 °C) au niveau 3.

Temps de cuisson: 35 à 40 minutes.

Donne: 6 à 8 portions.

SAUCE AUX BLEUETS ET À L'ORANGE *Donne:* 2 tasses (500 mL).

1/2	tasse	de sucre	125 mL
1	c. à soupe	d'amidon de maïs	15 mL
1	tasse	d'eau	250 mL
		jus et zeste râpé d'une orange	
1	tasse	de bleuets, frais ou congelés, et décongelés	250 mL

Préparation: Combiner le sucre et l'amidon de maïs dans une casserole. • Incorporer l'eau, le zeste d'orange, le jus et les bleuets. • Faire cuire à feu moyen, en remuant constamment jusqu'à ce que le mélange devienne épais et clair. • Servir tiède.

TARTE AU FROMAGE ET AUX ÉPINARDS À L'ITALIENNE

...sensationnelle avec une bonne salade verte.

1	lb	de saucisse italienne	500	g
1		oignon moyen, haché	1	
1		gousse d'ail, émincée	1	
1	tasse	de champignons frais, émincés	250	mL
1		paq.(300 g) d'épinards, congelés hachés, dé-congelés et bien égouttés	1	
1	lb	de fromage ricotta	500	g
4	oz	de fromage à la crème, ramolli	125	g
2	tasses	de mozzarella râpée	500	mL
2		oeufs, battus	2	
2	c. à thé	de graines d'aneth	10	mL
1/4	c. à thé	de piment déshydraté, broyé	1	mL
1		paq. (env. 400 g) de pâte à choux congelée, décongelée	1	
1		oeuf, battu	1	

Préparation: Faire chauffer le four à 375 °F (190 °C) au réglage Convection/au four. • Enlever l'enveloppe de la saucisse et en écraser la viande dans une poêle. • Faire cuire la saucisse, l'oignon, l'ail et les champignons à feu moyen jusqu'à ce que la saucisse soit complètement cuite. Enlever la graisse. • Dans un grand bol, combiner le mélange de saucisse cuite, les épinards, le fromage ricotta, le fromage à la crème, la mozzarella, 2 oeufs, l'aneth et le piment jusqu'à l'obtention d'un mélange homogène. • Sur une surface légèrement farinée, étaler la moitié de la pâte. Garnir un moule à cuisson carré de 9 po (23 cm). • Remplir avec le mélange de saucisse et de fromage. • Étaler le reste de la pâte et en recouvrir la garniture. • Sceller et cranter les bords de la tarte. • Badigeonner le dessus avec un oeuf battu. • Faire cuire au réglage Convection/au four à 375 °F (190 °C) pendant 45 à 50 minutes jusqu'à ce que la pâte soit légère et bien dorée. • Après la cuisson, laisser reposer 5 minutes avant de servir.

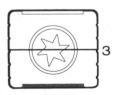

Mode de cuisson: Convection/au four à 375 °F (190 °C) au niveau 3.

Temps de cuisson: 45 à 50 minutes.

Donne: 9 portions.

SOUFFLÉ À L'EMMENTHAL ET AU JAMBON

...un mets classique facile à préparer avec une garniture crémeuse et une croûte délicieuse.

1/4	tasse	de beurre ou de margarine	50 mL
1/4	tasse	de farine tout-usage	50 mL
1	tasse	de lait	250 mL
1 1/4	tasse	d'emmenthal, râpé	300 mL
1	c. à soupe	de ciboulette fraîche, hachée ou oignons verts	15 mL
1/2	c. à thé	de sauce Worcestershire	2 mL
1/4	c. à thé	de sauce forte au piment	1 mL
4		oeufs, séparés	4
1	tasse	de jambon haché menu	250 mL

Préparation: Faire chauffer le four à 350 °F (175 °C) au réglage Convection/au four. • Dans une casserole, faire fondre le beurre à feu doux. Ajouter la farine en mélangeant et faire cuire pendant 1 minute. • Ajouter le lait et augmenter la chaleur à température élevée-moyenne. Faire cuire jusqu'à ébullition et consistance épaisse, en remuant avec un fouet. • Réduire la chaleur à feu doux et ajouter l'emmenthal, la ciboulette, la sauce Worcestershire et la sauce forte au piment. Mélanger jusqu'à ce que le fromage fonde. • Retirer du feu et incorporer les jaunes d'oeufs, un à la fois. • Ajouter le jambon. • Dans un grand bol, battre les blancs d'oeufs jusqu'à l'apparition de pics rigides mais non secs. • Incorporer délicatement le mélange au fromage dans les blancs d'oeufs. • Verser dans un plat à soufflé graissé de 8 tasses (2 L). • Faire cuire à 350 °F (175 °C) au réglage Convection/au four pendant 30 à 35 minutes jusqu'à ce que le soufflé soit bien doré et ferme. • Servir immédiatement.

Mode de cuisson: Convection/au four à 350 °F (175 °C) au niveau 3.

Temps de cuisson: 30 à 35 minutes.

Donne: 4 à 6 portions.

FRITTATA AUX LÉGUMES DU JARDIN

...un délicieux mélange des parfums de l'été.

1		oignon moyen, haché	1	
1		gousse d'ail, émincée	1	
2	c. à soupe	d'huile végétale	25	mL
1		courgette moyenne, en tranches fines	1	
1/2	tasse	de poivron rouge, haché	125	mL
3		grosses tomates, pelées et coupées en morceaux	3	
3		pommes de terre moyennes, cuites et en cubes	3	
1/2	c. à thé	de basilic déshydraté	2	mL
1/2	c. à thé	d'origan déshydraté	2	mL
1/4	c. à thé	de sel	1	mL
6		oeufs	6	
1/4	tasse	de lait	50	mL
1/4	tasse	de parmesan, râpé	50	mL
1	tasse	de cheddar, râpé	250	mL

Préparation: Dans une poêle à frire, faire sauter l'oignon et l'ail dans l'huile végétale environ 3 minutes, à feu moyen. • Ajouter la courgette et le poivron; continuer la cuisson environ 5 minutes, jusqu'à ce que les légumes soient tendres. • Ajouter les tomates, les pommes de terre, le basilic, l'origan et le sel. Faire mijoter à feu doux jusqu'à ce que tout le liquide soit évaporé, environ 15 minutes. • Mettre de côté. • Battre légèrement les oeufs avec le lait dans un bol. Incorporer le parmesan. • Verser les légumes dans un plat peu profond et graissé de 8 tasses (2 L). • Incorporer délicatement le mélange aux oeufs dans les légumes. • Parsemer le cheddar sur le dessus. • Faire cuire à 350 °F (175 °C) au réglage Convection/au four pendant 25 à 30 minutes jusqu'à ce que la frittata soit dorée et gonflée. • Après la cuisson, laisser reposer 5 minutes avant de servir.

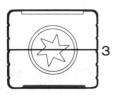

Mode de cuisson: Convection/au four à 350 °F (175 °C) au niveau 3.

Temps de cuisson: 25 à 30 minutes.

Donne: 6 portions.

CRÊPES AUX CHAMPIGNONS ET AU FROMAGE

...un délice pour le petit déjeuner ou un léger souper.

2	c. à soupe	de beurre ou de margarine	25 mL
3		oeufs	3
3/4	tasse	de lait	175 mL
3/4	tasse	de farine tout-usage	175 mL
2	c. à soupe	de beurre ou de margarine	25 mL
1	lb	de champignons frais, émincés	500 g
3		oignons verts, hachés	3
2	c. à soupe	de sherry sec	25 mL
1/3	tasse	de yogourt ou crème sure	75 mL
1	c. à soupe	de farine tout-usage	15 mL
1/4	c. à thé	de sel	1 mL
1/4	c. à thé	de poivre fraîchement moulu	1 mL
1	tasse	de cheddar, râpé	250 mL

Préparation: Faire chauffer le four à 375 °F (190 °C) au réglage Convection. • Mettre 2 c. à soupe (25 mL) de beurre dans un plat à cuisson rond et peu profond de 8 tasses (2 L). Pendant le préchauffage du four, mettre le plat dans le four jusqu'à ce que le beurre fonde. • Entre-temps, mettre les oeufs dans un mélangeur ou robot de cuisine et mélanger à haute vitesse pendant une minute. • Toujours à la même vitesse, verser graduellement le lait. Ensuite, ajouter la farine et continuer à mélanger pendant 30 secondes. • Verser la pâte dans le plat à cuisson préparé. • Faire cuire à 375 °F (190 °C) au réglage Convection pendant 20 à 25 minutes jusqu'à ce qu'elle soit dorée et gonflée. • Pendant que la crêpe cuit, faire fondre dans une poêle à frire 2 c. à soupe (25 mL) de beurre à feu élevé-moyen • Ajouter les champignons et les oignons; faire cuire jusqu'à ce qu'ils soient légèrement dorés. • Verser le sherry. Couvrir la poêle et laisser les champignons perdre leur jus naturel pendant environ 2 minutes. • Dans un petit bol, mélanger le yogourt avec la farine, le sel et le poivre. Incorporer aux champignons et faire cuire en remuant jusqu'à ce que le mélange soit bien homogène et commence à bouillir. • Parsemer le cheddar râpé. Éteindre l'élément de surface et couvrir le mélange pour le garder au chaud. • Lorsque la crêpe est cuite, la couper en morceaux et la recouvrir de mélange aux champignons et au fromage, et servir.

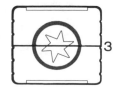

Mode de cuisson: Convection à 375 °F (190 °C) au niveau 3.

Temps de cuisson: 20 à 25 minutes.

Donne: 4 à 6 portions.

NOTES

DÉLICIEUX PAINS À LA LEVURE

N'hésitez plus à relever le défi du boulanger! Les pains à la levure cuits dans votre four à convection montent parfaitement et sont caractérisés par une croûte uniformément brunie sur toutes les surfaces et une texture homogène. Dans les pages qui suivent, nous présentons une variété d'appétissantes recettes de pains remplis d'arôme et de saveur, qui intéresseront les cuisiniers amateurs comme les dégustateurs.

Utilisez la technique pratique de cuisson sur plusieurs niveaux pour cuire simultanément plusieurs pains, comme la recette de la traditionelle et délicieuse miche campagnarde à la page 61. Servez, avec votre mets principal, des petits pains chauds aux herbes fraîchement cuits (recette page 63).

L'utilisation d'ustensiles de cuisson métalliques à finition mate garantit des résultats spectaculaires lors de la préparation de pains à la levure, parce qu'ils absorbent également la chaleur, et favorisent la montée uniforme et la formation d'une croûte croustillante. Placez les moules à pains ou la tôle à biscuits à 1 po (2,5 cm) au moins des parois du four pour que l'air chaud puisse bien circuler de tous les côtés.

Les pains sont cuits lorsque la surface est dorée et qu'on entend un son creux lorsqu'on frappe la croûte. Démoulez immédiatement les pains pour qu'ils refroidissent.

convection
à la
Perfection!

FOCACCIA

...un pain plat italien, aux herbes aromatiques, délicieux avec les pâtes!

Pâte:

1	c. à soupe	de levure sèche granulée traditionnelle (un sachet de 8 g)	15 mL
1	c. à thé	de sucre granulé	5 mL
1	tasse	d'eau chaude (110 °F/45 °C)	250 mL
2 1/2	tasses	de farine tout-usage	625 mL
1	c. à thé	de sel	5 mL
1	c. à soupe	d'huile d'olive	15 mL
1	c. à soupe	de semoule de maïs	15 mL

Garniture:

2	c. à soupe	d'huile d'olive	25 mL
1	c. à thé	de basilic déshydraté	5 mL
1	c. à thé	de persil déshydraté	5 mL
1/2	c. à thé	d'origan déshydraté	2 mL
3	c. à soupe	de parmesan râpé	45 mL

Variantes: Utiliser 1 lb (500 g) de pâte à pain ou à pizza. Remplacer les herbes déshydratées par des herbes fraîches au choix. Garnir le pain, si désiré, de légumes émincés.

Préparation: Dissoudre la levure et le sucre dans l'eau chaude et laisser reposer le mélange pendant 10 minutes, jusqu'à ce qu'il soit mousseux. • Dans un grand bol, combiner la farine et le sel. • Incorporer le mélange de levure et de sucre et 1 c. à soupe (15 mL) d'huile d'olive. Bien mélanger pour former une pâte souple. • Pétrir la pâte pendant 5 minutes, en ajoutant de la farine si nécessaire, de façon que la pâte soit souple sans être collante. • La placer dans un bol graissé et la retourner pour en graisser le dessus. Couvrir et laisser lever dans un endroit chaud de 45 à 60 minutes jusqu'à ce que la pâte ait doublé de volume. • Graisser un plat à pizza de 12 po (30 cm) et le saupoudrer de farine de maïs. • Rompre la pâte et l'aplatir au rouleau ou à la main de façon à obtenir une abaisse à la dimension du plat préparé. • Badigeonner la pâte avec 2 c. à soupe (25 mL) d'huile d'olive. La saupoudrer avec les herbes et le fromage. • Laisser lever 30 minutes à température ambiante. • Faire chauffer le four à 400 °F (205 °C) au réglage Convection; faire cuire environ 15 minutes jusqu'à ce que la surface soit légèrement dorée.

Mode de cuisson: Convection à 400 °F (205 °C) au niveau 2.

Temps de cuisson: 5 minutes.

Donne: 8 parts.

MICHE CAMPAGNARDE

...un pain-boule, copieux et croustillant.

2		petites pommes de terre, épluchées	2	
1	c. à soupe	de levure sèche granulée traditionnelle (un sachet de 8 g)	15	mL
1	c. à thé	de sucre granulé	5	mL
1/4	tasse	d'eau chaude (110 °F/45 °C)	50	mL
1	c. à thé	de sel	5	mL
1	c. à soupe	de shortening, fondu et refroidi	15	mL
5	tasses	de farine tout-usage graines de sésame	1,25	L

Préparation: Mettre les pommes de terre dans une casserole, les couvrir d'eau et les faire cuire à feu moyen jusqu'à ce qu'elles soient tendres. • Les égoutter en réservant 1 1/2 tasse (375 mL) du liquide de cuisson. • Écraser les pommes de terre et les réserver. • Dissoudre la levure et le sucre dans l'eau chaude et laisser reposer le mélange 10 minutes jusqu'à ce qu'il soit mousseux. • Dans un grand bol, combiner les pommes de terre écrasées, le liquide de cuisson réservé tiède, le sel et le shortening. • Incorporer le mélange de levure et de sucre et 3 tasses (750 mL) de farine. • Ajouter le reste de farine, 1/2 tasse (125 mL) à la fois, pour former une pâte souple. • Pétrir la pâte sur une surface farinée, de 8 à 10 minutes, jusqu'à ce qu'elle soit lisse. • La placer dans un bol graissé et la retourner pour en graisser le dessus. • Couvrir et laisser lever la pâte dans un endroit chaud 1 1/2 heure environ jusqu'à ce qu'elle ait doublé de volume. • Rompre la pâte. La diviser en deux morceaux égaux. Façonner chaque morceau en un pain rond. • Placer chaque pain sur une tôle à biscuits graissée. Faire une incision avec un couteau pointu sur le dessus de chaque pain. Saupoudrer de graines de sésame. • Couvrir. Laisser lever dans un endroit chaud de 30 à 45 minutes, jusqu'à ce qu'ils aient presque doublé de volume. • Faire chauffer le four à 350 °F (175 °C) au réglage Convection; faire cuire les pains pendant 40 à 45 minutes jusqu'à ce qu'ils soient bien dorés et qu'un coup léger à la surface laisse entendre un son creux. • Laisser refroidir sur une grille. Trancher et servir tiède.

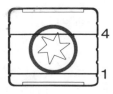

Mode de cuisson: Convection à 350 °F (175 °C) aux niveaux 1 et 4.

Temps de cuisson: 40 à 45 minutes.

Donne: 2 pains.

PAINS À LA LEVURE

PAINS COLLATION AU FROMAGE

...toute la délicieuse saveur du cheddar.

1	c. à soupe	de levure sèche granulée	15 mL
		traditionnelle (un sachet de 8 g)	
2	c. à soupe	de sucre granulé	25 mL
1	tasse	d'eau chaude (110 °F/45 °C)	250 mL
3	tasses	de farine tout-usage	750 mL
1/2	c. à thé	de sel	2 mL
1 1/4	tasse	de cheddar râpé	300 mL
1		oeuf	1

Préparation: Dissoudre la levure et le sucre dans 1/4 tasse (50 mL) d'eau chaude et laisser reposer le mélange 10 minutes jusqu'à ce qu'il soit mousseux. • Dans un grand bol, combiner la farine, le sel et 1 tasse (250 mL) du cheddar râpé. • Incorporer le mélange de levure et de sucre, l'oeuf et le reste de l'eau de façon à former une pâte souple qui ne colle pas au bol. • La pétrir sur une surface farinée, de 8 à 10 minutes, jusqu'à ce qu'elle soit lisse. • La placer dans un bol graissé et la retourner pour en graisser le dessus. • Couvrir et laisser lever la pâte dans un endroit chaud, 1 heure environ, jusqu'à ce qu'elle ait doublé de volume. • Rompre la pâte. La diviser en deux morceaux égaux. • Façonner chaque morceau en une baguette d'environ 12 po (30 cm) de long. Placer ces baguettes, espacées de 4 po (10 cm) sur une tôle à biscuits graissée. Faire 4 ou 5 incisions diagonales avec un couteau pointu sur le dessus des pains. • Les couvrir. Les laisser lever dans un endroit chaud, environ 40 minutes, jusqu'à ce qu'ils aient presque doublé de volume. • Badigeonner le dessus des pains d'eau froide et les saupoudrer avec 1/4 tasse (50 mL) de fromage restant. • Faire chauffer le four à 350 °F (175 °C) au réglage Convection/au four; les faire cuire pendant 20 à 25 minutes jusqu'à ce qu'ils soient bien dorés et qu'un coup léger à la surface laisse entendre un son creux. • La cuisson terminée, retirer les pains de la tôle et les laisser refroidir sur une grille. • Couper en tranches et servir chaud.

Mode de cuisson: Convection/au four à 350 °F (175 °C) au niveau 2.

Temps de cuisson: 20 à 25 minutes.

Donne: 2 baguettes.

PETITS PAINS RAPIDES AUX HERBES

*...assaisonnez ces petits pains faciles
à faire, avec vos herbes préférées.*

4	tasses	de farine tout-usage	1	L
1 1/2	tasse	de farine de blé entier	375	mL
1	c. à soupe	de sucre granulé	15	mL
1	c. à thé	de sel	5	mL
2	c. à soupe	de levure sèche granulée instantanée (deux sachets de 8 g chacun)	25	mL
1/4	tasse	d'huile végétale	50	mL
2	tasses	d'eau huile végétale	500	mL
1	c. à soupe	d'épices à l'italienne	15	mL

Préparation: Graisser 24 moules à muffins moyens. • Prélever 1 tasse (250 mL) de farine tout-usage. La réserver. • Dans un grand bol, combiner le reste de la farine tout-usage, la farine de blé entier, le sucre, le sel et la levure. • Faire chauffer 1/4 tasse (50 mL) d'huile végétale et l'eau jusqu'à ce que le mélange atteigne 125-130 °F (50-55 °C). • Incorporer le mélange bouillant au mélange à base de farine. • Ajouter suffisamment de farine réservée pour faire une pâte souple qui ne colle pas au bol. • Pétrir la pâte sur une surface farinée, de 8 à 10 minutes, jusqu'à ce qu'elle soit lisse. • Couvrir et laisser reposer 10 minutes. • Diviser la pâte en 24 morceaux égaux. Façonner chaque morceau en une boulette lisse, en pinçant le fond pour la sceller. Placer les boulettes dans les moules à muffins graissés. • Badigeonner le dessus d'huile végétale et saupoudrer d'herbes. Couvrir et laisser lever dans un endroit chaud pendant environ 30 minutes, jusqu'à ce qu'elles aient presque doublé de volume. • Faire chauffer le four à 350 °F (175 °C) au réglage Convection; faire cuire les petits pains pendant 12 à 15 minutes jusqu'à ce qu'ils soient bien dorés. • Servir chauds.

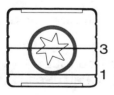

Mode de cuisson: Convection à 350 °F (175 °C) aux niveaux 1 et 3.

Temps de cuisson: 12 à 15 minutes.

Donne: 24 petits pains.

PAIN MATINAL ABRICOTS-PACANES

...un riche pain aux fruits et aux noix
qui fera de succulentes rôties.

2	c. à soupe	de levure sèche granulée traditionnelle (deux sachets de 8 g chacun)	25 mL
1	c. à thé	de sucre granulé	5 mL
1/4	tasse	d'eau chaude (110 °F/45 °C)	50 mL
1	tasse	de babeurre chaud (110 °F/45 °C)	250 mL
1	tasse	d'eau chaude (110 °F/45 °C)	250 mL
1/2	tasse	de miel liquide	125 mL
1/2	tasse	de gros flocons d'avoine	125 mL
1/2	tasse	de son naturel	125 mL
1/4	tasse	de beurre (ou de margarine), fondu	50 mL
1	c. à thé	de sel	5 mL
5	tasses	de farine tout-usage	1,25 L
1	tasse	d'abricots secs, hachés	250 mL
1/2	tasse	de pacanes, finement hachées	125 mL

Préparation: Dissoudre la levure et le sucre dans 1/4 tasse (50 mL) d'eau chaude et laisser reposer le mélange 10 minutes jusqu'à ce qu'il soit mousseux. • Dans un grand bol, combiner le babeurre, 1 tasse (250 mL) d'eau, le miel, les flocons d'avoine, le son, le beurre et le sel. • Ajouter 1 1/2 tasse (375 mL) de farine et le mélange de levure et de sucre. Battre jusqu'à consistance lisse. • Incorporer les abricots et les pacanes. • Ajouter le reste de la farine, 1/2 tasse (125 mL) à la fois, pour former une pâte souple. • La pétrir sur une surface farinée, de 6 à 8 minutes, jusqu'à ce qu'elle soit lisse. • Placer la pâte dans un bol graissé et la retourner pour en graisser le dessus. • La couvrir et la laisser lever dans un endroit chaud 1 1/2 heure environ jusqu'à ce qu'elle ait doublé de volume. • Rompre la pâte. La diviser en 2 morceaux égaux. • Façonner chaque morceau de façon à former deux pains; les mettre dans deux moules à pains graissés de 8 x 4 po (21 x 12 cm). • Couvrir et laisser lever dans un endroit chaud environ 35 minutes, jusqu'à ce que la pâte affleure le haut des moules. • Faire chauffer le four à 350 °F (175 °C) au réglage Convection/au four; faire cuire les pains pendant 30 à 35 minutes jusqu'à ce qu'ils soient bien dorés et qu'un coup léger à la surface laisse entendre un son creux. • Démouler les pains et les laisser refroidir sur une grille. • Servir avec de la confiture maison si désiré.

Mode de cuisson: Convection/au four à 350 °F (175 °C) au niveau 2.

Temps de cuisson: 30 à 35 minutes.

Donne: 2 pains.

TABLEAU DE CUISSON AU FOUR DES PAINS À LA LEVURE

Réglage de cuisson à : CUISSON AVEC CONVECTION OU CUISSON AVEC CONVECTION/AU FOUR

ALIMENT	DIMENSIONS DU RÉCIPIENT DE CUISSON	POSITION DE LA GRILLE	TEMPÉRATURE DU FOUR PRÉCHAUFFÉ	TEMPS APPROXIMATIF DE CUISSON
PAINS À LA LEVURE				
Miches	Moules à pains 9 x 5 po (23 cm x 13 cm)	2	350 °F/175 °C	30-35 min
Petits pains	Moule individuel	3	350 °F/175 °C	10-15 min
	Moules multiples	1,3	350 °F/175 °C	12-15 min
PIZZA MAISON				
	Simple	3	400 °F/205 °C	15 min
	Multiple	2,4	400 °F/205 °C	15-20 min

NOTES

_____

_____

_____

_____

_____

_____

_____

_____

_____

_____

NOTES

CUISSON DE PAINS RAPIDES, SANS EFFORT

Que votre famille préfère les délicieux muffins pour les collations ou un pain aux fruits et aux noix, vous obtiendrez des résultats remarquables avec votre four à convection, lors de la cuisson de ces mets favoris.

Le préchauffage du four garantira la cuisson complète des pains à cuisson rapide, ainsi qu'un brunissage délicat de l'extérieur. Lors de la cuisson d'un appétissant gâteau au chocolat et à l'orange (recette à la page 68), vous apprécierez la perfection de la méthode de cuisson avec convection des pains à cuisson rapide, ainsi que la douce combinaison d'intéressantes saveurs sous une croûte dorée et tendre.

La distribution efficace de la chaleur au cours de la cuisson avec convection peut achever la cuisson de petits articles comme les biscuits et muffins plus rapidement que vous ne l'auriez prévu. Vous devriez donc contrôler le degré de cuisson peu avant la fin de la période de cuisson recommandée.

La teneur en humidité et la densité des pains à cuisson rapide nécessitent des températures de cuisson au four à convection similaires aux températures de cuisson au four conventionnel à radiation. Après avoir essayé les recettes suivantes de délicieux pains à cuisson rapide, utilisez le tableau de la dernière page de ce chapitre pour rapidement convertir vos recettes de pains à cuisson rapide.

convection
à la
Perfection!

GÂTEAU AU CHOCOLAT ET À L'ORANGE

...un délicieux mélange croquant et doré.

1/2	tasse	de pacanes hachées	125 mL
1/3	tasse	de cassonade bien tassée	75 mL
1	tasse	de grosses brisures de chocolat	250 mL
1/2	tasse	de beurre ou de margarine	125 mL
1	tasse	de sucre granulé	250 mL
1	c. à thé	de zeste d'orange râpé	5 mL
1	c. à thé	d'extrait de vanille	5 mL
2		oeufs	2
1	tasse	de crème sure	250 mL
2	tasses	de farine tout-usage	500 mL
2	c. à thé	de poudre à lever	10 mL
1	c. à thé	de bicarbonate de soude	5 mL
1/4	c. à thé	de sel	1 mL

Préparation: Faire chauffer le four à 325 °F (160 °C) au réglage Convection/au four. • Pour le mélange sucré, combiner les pacanes, la cassonade et les brisures de chocolat. Mettre de côté. • Dans un grand bol, battre le beurre et le sucre ensemble jusqu'à l'obtention d'une crème légère et mousseuse. • Ajouter le zeste d'orange, la vanille, les oeufs et la crème sure. Bien mélanger. • Dans un bol séparé, combiner la farine, la poudre à lever, le bicarbonate de soude et le sel. Ajouter au mélange crémeux et mélanger légèrement jusqu'à ce que le tout soit homogène. • Étaler la moitié du mélange au fond d'un moule à cheminée graissé de 9 po (23 cm). Saupoudrer la moitié du mélange sucré. • Couvrir avec le reste de la pâte et saupoudrer de façon égale le reste du mélange sucré sur le dessus. • Faire cuire à 325 °F (160 °C) au réglage Convection/au four pendant 35 à 40 minutes jusqu'à couleur dorée. • Refroidir le gâteau avant de le démouler.

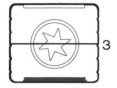

Mode de cuisson: Convection/au four à 325 °F (160 °C) au niveau 3.

Temps de cuisson: 35 à 40 minutes.

Donne: 8 à 10 portions.

...un régal sain et délicieux n'importe quand!

1	tasse	de farine de blé entier	250	mL
1	tasse	de farine tout-usage	250	mL
1	c. à soupe	de poudre à lever	15	mL
1/2	c. à thé	de sel	2	mL
3/4	tasse	de lait	175	mL
1/2	tasse	de miel liquide	125	mL
1/3	tasse	d'huile végétale	75	mL
2		oeufs	2	
1	c. à thé	d'extrait de vanille	5	mL
1	c. à thé	de zeste de citron râpé	5	mL
1	tasse	de courgette finement rapée	250	mL
1	tasse	de canneberges entières, fraîches ou congelées, et décongelées	250	mL

Préparation: Faire chauffer le four à 375 °F (190 °C) au réglage Convection. • Dans un grand bol, combiner la farine de blé entier, la farine tout-usage, la poudre à lever et le sel. • Dans un bol séparé, combiner le lait, le miel, l'huile végétale, les oeufs, la vanille et le zeste de citron. • Ajouter le mélange liquide aux ingrédients secs et mélanger juste assez pour mouiller le tout. • Incorporer les courgettes et les canneberges. • Verser à la cuiller le mélange dans douze grands moules à muffins de 2 1/2 po (6 cm) graissés ou doublés de papier. • Faire cuire à 375 °F (190 °C) au réglage Convection pendant 22 à 25 minutes jusqu'à ce qu'ils soient dorés et qu'un cure-dent inséré au centre des muffins en ressorte propre. • Après la cuisson, démouler sur une grille. • Servir tièdes.

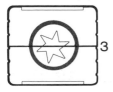

Mode de cuisson: Convection à 375 °F (190 °C) au niveau 3.

Temps de cuisson: 22 à 25 minutes.

Donne: 12 gros muffins.

PAIN AU MAÏS ET AU BABEURRE

...un accompagnement parfait pour la soupe ou la salade.

1	tasse	de farine tout-usage	250 mL
3/4	tasse	de semoule de maïs	175 mL
1	c. à soupe	de sucre granulé	15 mL
2	c. à thé	de poudre à lever	10 mL
1/2	c. à thé	de bicarbonate de soude	2 mL
1/2	c. à thé	de sel	2 mL
1 1/2	tasse	de babeurre	375 mL
2		oeufs	2
1/4	tasse	de beurre (ou de margarine), fondu	50 mL
Variantes:			
6		tranches de bacon cuites, hachées	6
3	c. à soupe	de poivron rouge, haché	45 mL
3	c. à soupe	d'oignons verts, hachés	45 mL
2	c. à soupe	de tomates séchées au soleil, hachées menu	25 mL
1/2	tasse	de pacanes, hachées	125 mL
1/2	tasse	de cheddar, râpé	125 mL
1	tasse	de bleuets, frais ou congelés, et décongelés	250 mL

Préparation: Faire chauffer le four à 400 °F (205 °C) au réglage Convection. • Dans un bol, combiner la farine, la semoule de maïs, le sucre, la poudre à lever, le bicarbonate de soude et le sel. • Dans un bol séparé, combiner le babeurre, les oeufs et le beurre. Bien mélanger. • Ajouter le mélange liquide aux ingrédients secs et mélanger juste assez pour mouiller le tout. • Si désiré, incorporer à votre choix l'un des ingrédients des variantes indiquées ci-dessus. • Verser la pâte dans un moule à gâteau carré graissé de 9 po (23 cm). • Faire cuire à 400 °F (205 °C) au réglage Convection pendant 20 minutes jusqu'à ce que la croûte soit dorée. • Après la cuisson, couper en carrés et servir tièdes.

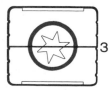

Mode de cuisson: Convection à 400 °F (205 °C) au niveau 3.

Temps de cuisson: 20 minutes.

Donne: 9 morceaux.

PAIN AUX DATTES ENSOLEILLÉ

...commencez la journée par un petit déjeuner nutritif!

2	tasses	de dattes dénoyautées, hachées	500	mL
1 1/4	tasse	d'eau bouillante	300	mL
1/3	tasse	d'huile végétale	75	mL
		zeste d'une orange		
1 1/4	tasse	de jus d'orange frais	300	mL
2		oeufs, légèrement battus	2	
2	tasses	de farine tout-usage	500	mL
2	tasses	de flocons d'avoine-minute	500	mL
2/3	tasse	de cassonade, bien tassée	150	mL
1	c. à soupe	de poudre à lever	15	mL
2	c. à thé	de bicarbonate de soude	10	mL
1/2	c. à thé	de sel	2	mL
1	tasse	de noix hachées	250	mL

Préparation: Faire chauffer le four à 325 °F (160 °C) au réglage Convection/au four. • Mettre les dattes dans un bol. Couvrir d'eau bouillante et mettre de côté. • Lorsque le mélange de dattes a refroidi à la température ambiante, incorporer l'huile, le zeste d'orange, le jus d'orange et les oeufs. • Dans un bol séparé, combiner la farine, l'avoine, le sucre, la poudre à lever, le bicarbonate de soude, le sel et les noix. • Ajouter le mélange de dattes aux ingrédients secs et mélanger jusqu'à ce que le tout soit mouillé. • Diviser la pâte de façon égale entre deux moules à pains graissés de 8 x 4 po (21 x 12 cm). • Faire cuire à 325 °F (160 °C) au réglage Convection/au four pendant 45 à 50 minutes jusqu'à ce qu'un cure-dent inséré au centre des pains en ressorte propre. • Démouler et refroidir complètement avant de servir.

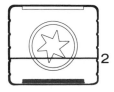

Mode de cuisson: Convection/au four à 325 °F (160 °C) au niveau 2.

Temps de cuisson: 45 à 50 minutes.

Donne: 2 pains.

BISCUITS FANTAISIE

...une variante du traditionnel biscuit.

3	tasses	de farine tout-usage	750 mL
3	c. à soupe	de sucre granulé	45 mL
2	c. à soupe	de poudre à lever	30 mL
1/4	c. à thé	de sel	1 mL
1/2	tasse	de shortening	125 mL
1/4	tasse	de beurre ou de margarine	50 mL
1	tasse	de fruits confits hachés	250 mL
1 1/2	tasse	de lait	375 mL

Variantes:

1	tasse	de bleuets frais	250 mL
1	tasse	de raisins secs	250 mL
1	tasse	d'abricots séchés, en dés	250 mL

Préparation: Faire chauffer le four à 400 °F (205 °C) au réglage Convection. • Dans un grand bol, combiner la farine, le sucre, la poudre à lever et le sel. • Avec un mélangeur à pâtisserie ou deux couteaux, couper le shortening et le beurre dans le mélange de farine jusqu'à ce que le tout s'émiette. • Incorporer les fruits de votre choix. • Ajouter le lait et mélanger pour faire une pâte lisse. • À l'aide d'une mesure de 1/4 tasse (50 mL), déposer la pâte sur 2 tôles légèrement graissées. • Faire cuire à 400 °F (205 °C) au réglage Convection pendant environ 15 minutes jusqu'à ce que les biscuits soient légèrement dorés. • Servir tièdes.

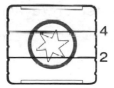

Mode de cuisson: Convection à 400 °F (205 °C) aux niveaux 2 et 4.

Temps de cuisson: 15 minutes.

Donne: Environ 18 biscuits.

TABLEAU DE CUISSON AU FOUR DES PAINS RAPIDES

Réglage de cuisson à : CUISSON AVEC CONVECTION OU CUISSON AVEC CONVECTION/AU FOUR

ALIMENT	DIMENSIONS DU RÉCIPIENT DE CUISSON	POSITION DE LA GRILLE	TEMPÉRATURE DU FOUR PRÉCHAUFFÉ	TEMPS APPROXIMATIF DE CUISSON
Muffins	Moule simple Moules multiples	3 1,3,5	375 °F/190 °C	18-25 min 18-25 min
Biscuits	Tôle simple Tôles multiples	3 1,3,5	425 °F/220 °C	8 min 10 min
Pains aux fruits et aux noix	Moule à pain 8 x 4 po (21 cm x 12 cm)	2	325 °F/160 °C	45-60 min

NOTES

_____

_____

_____

_____

_____

_____

_____

_____

_____

NOTES

Dans ce chapitre, nous vous présentons une sélection de desserts simples et élégants qui apporteront une touche finale parfaite à vos mets principaux. Que vous choisissiez de cuire vos desserts avant, pendant ou après la préparation de votre mets principal, vous pourrez facilement adapter vos recettes préférées au four à convection. Pour une fantaisie originale, essayez la recette des brochettes de fruits glacés à l'orange à la page 82.

Pour ceux et celles d'entre vous qui aiment faire toute leur cuisson au four en une seule journée, ou faire cuire en une seule fois de grandes quantités de biscuits, la circulation de l'air chaud sous l'action du ventilateur vous permet d'effectuer une cuisson sur plusieurs grilles à la fois. Cette méthode n'est pas seulement pratique, mais elle fait aussi gagner beaucoup de temps. Pour obtenir les meilleurs résultats, utilisez une tôle à biscuits comportant un seul rebord, ou inversez une tôle à quatre rebords et mettez les biscuits sur le fond.

Vous apprécierez particulièrement la légèreté et le volume que la convection de l'air confère aux pâtes soufflées et aux meringues. La circulation constante de l'air vous permettra de préparer de jolis, légers et délicieux nids de meringue (recette à la page 78).

convection
à la
Perfection!
⊗

NIDS DE MERINGUE

...un dessert croustillant et délicieux avec beaucoup d'attrait!

4		blancs d'oeufs,	4
		à température ambiante	
1/4	c. à thé	de crème de tartre	1 mL
1	tasse	de sucre granulé	250 mL
1	c. à thé	d'extrait de vanille	5 mL
2	tasses	de fruits frais	500 mL
1	chopine	de crème glacée ou	500 mL
		yogourt congelé	

Variante: Utiliser 4 tasses (1 L) de fruits frais et omettre la crème glacée.

Préparation : Faire chauffer le four à 275 °F (130 °C) au réglage Convection. • Dans un bol à mélanger, placer les blancs d'oeufs et la crème de tartre. Battre à haute vitesse jusqu'à l'obtention d'une mousse. • Ajouter graduellement le sucre, 1 c. à soupe (15 mL) à la fois, et battre pendant 8 à 10 minutes jusqu'à formation de pics rigides et brillants. Incorporer la vanille. • Pour des nids de meringue individuels : sur 2 tôles graissées, avec 1/3 tasse (75 mL) de mélange de meringue pour chaque nid, faire un cercle de 3 po (7,5 cm), avec une cavité au centre. • Pour un grand nid de meringue : dessiner un cercle de 9 po (23 cm) sur une tôle couverte de feuille d'aluminium. Y placer à la cuiller le mélange de meringue. Faire une cavité au centre, en créant de légers monticules sur les bords. • Faire cuire à 275 °F (130 °C) au réglage Convection pendant 30 à 50 minutes jusqu'à l'obtention d'une consistance ferme et légèrement dorée. • Après la cuisson, laisser refroidir complètement et remplir de fruits frais et de crème glacée ou yogourt, si désiré.

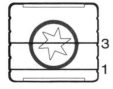

Mode de cuisson : Convection à 275 °F (130 °C) aux niveaux 1 et 3 pour les nids individuels, ou niveau 3 pour le grand nid.

Temps de cuisson : Nids individuels - 30 minutes. Grand nid - 50 minutes.

Donne : 8 nids individuels ou un grand nid.

CHOUX À LA CRÈME ET AUX FRAISES

...un régal simple, coloré et délicieux.

1/2	tasse	d'eau	125	mL
1/4	tasse	de beurre ou de margarine	50	mL
1/2	tasse	de farine tout-usage	125	mL
1/4	c. à thé	de sel	1	mL
2		oeufs	2	
1	tasse	de crème à fouetter	250	mL
2	c. à soupe	de sucre glace	25	mL
1	c. à thé	d'extrait de vanille	5	mL
2	tasses	de fraises fraîches, coupées en tranches	500	mL

Préparation: Faire chauffer le four à 400 °F (205 °C) au réglage Convection. • Dans une casserole à feu élevé, porter l'eau et le beurre à ébullition. • Ajouter la farine et le sel en une fois. Battre vigoureusement jusqu'à ce que le mélange se détache des parois de la casserole. Enlever du feu et refroidir légèrement. • Ajouter les oeufs, un à la fois, et bien battre après chaque addition. Continuer à battre jusqu'à ce que le mélange soit lisse. • Avec une cuiller à soupe, mettre la pâte sur 2 tôles légèrement graissées. • Faire cuire à 400 °F (205 °C) au réglage Convection pendant 5 minutes. • Réduire la température à 350 °F (175 °C) et faire cuire pendant 25 minutes, jusqu'à ce que les choux soient dorés. • Entre-temps, battre la crème à fouetter, le sucre glace et la vanille jusqu'à l'obtention de pics rigides. Réfrigérer. • Après la cuisson, laisser complètement refroidir les choux. • Au moment de servir, incorporer 1 tasse (250 mL) de fraises dans la crème fouettée. • Découper le dessus de chaque chou et remplir du mélange de crème fouettée. Remettre le dessus. • Répartir à la cuiller les fraises qui restent sur le dessus de chaque chou rempli, et saupoudrer de sucre glace.

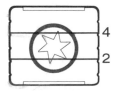

Mode de cuisson: Convection à 400 °F (205 °C) aux niveaux 2 et 4 pour commencer. Réduire ensuite la température à 350 °F (175 °C).

Temps de cuisson: 30 minutes.

Donne: Environ 15 choux.

BROCHETTES DE FRUITS FRAIS GLACÉS À L'ORANGE

...un dessert formidable ou un goûter spécial avec vos fruits préférés!

1/2	tasse	de sucre granulé	125 mL
2	c. à soupe	de sirop de maïs	25 mL
1/4	tasse	de beurre ou de margarine	50 mL
3	c. à soupe	de liqueur d'orange	45 mL
1/2	c. à thé	de zeste d'orange râpé	2 mL
1/2		ananas frais, coupé en morceaux de 1 po (2,5 cm)	1/2
2		bananes, coupées en tranches de 1 po (2,5 om)	2
2		oranges, pelées, séparées en quartiers	2

Remarque: Si l'on utilise des brochettes en bois, les faire tremper dans l'eau froide pendant 30 minutes avant d'y enfiler les fruits.

Préparation: Faire chauffer le four à 450 °F (230 °C) au réglage Convcotion/au gril • Dans une casserole, combiner le sucre, le sirop de maïs, le beurre, la liqueur d'orange et le zeste d'orange. Faire cuire à feu moyen, en remuant jusqu'à ce que le sucre ait fondu. Retirer du feu et réserver. • Enfiler alternativement des morceaux d'ananas, d'orange et de banane sur 6 brochettes. Badigeonner entièrement les brochettes de glaçage à l'orange. • Disposer les brochettes sur la grille de rôtissage placée dans le plat. • Faire griller à 450 °F (230 °C) au réglage Convection/au gril pendant 8 à 10 minutes jusqu'à ce que les fruits soient bien chauds. • Ensuite, enlever du four et badigeonner les brochettes avec le reste du glaçage. Servir immédiatement.

Mode de cuisson: Convection/au gril à 450 °F (230 °C) au niveau 4.

Temps de cuisson: 8 à 10 minutes.

Donne: 6 brochettes.

COMBINÉ À LA RHUBARBE ET AUX FRAISES

...un délice préféré avec l'addition d'amandes.

6	tasses	de rhubarbe, coupée en morceaux de 1 po (2,5 cm)	1,5	L
2	tasses	de fraises, coupées en tranches	500	mL
3/4	tasse	de sucre granulé	175	mL
		jus d'une orange		
1	tasse	de gros flocons d'avoine	250	mL
1	tasse	de cassonade bien tassée	250	mL
1	tasse	de farine tout-usage	250	mL
1/2	tasse	d'amandes effilées	125	mL
1/2	tasse	de beurre (ou de margarine), fondu	125	mL

Préparation: Dans une casserole de 8 tasses (2 L), combiner la rhubarbe, les fraises, le sucre et le jus d'orange. • Dans un bol, combiner l'avoine, la cassonade, la farine, les amandes et le beurre. Bien mélanger. • Répartir de façon égale le mélange d'avoine sur les fruits. • Faire cuire à 325 °F (160 °C) au réglage Convection pendant 45 à 50 minutes jusqu'à ce que le dessus soit bien doré et la garniture tendre. • Retirer du four et servir tiède. Recouvrir avec une cuillerée de crème glacée si désiré.

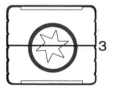

Mode de cuisson: Convection à 325 °F (160 °C) au niveau 3.

Temps de cuisson: 45 à 50 minutes.

Donne: 6 à 8 portions.

GALETTES D'AVOINE

...un goûter merveilleux après l'école avec un verre de lait.

1 1/4	tasse	de shortening	300 mL
1	tasse	de cassonade bien tassée	250 mL
2	tasses	de farine tout-usage	500 mL
		pincée de sel	
1/2	c. à thé	de bicarbonate de soude	2 mL
1/4	tasse	d'eau chaude	50 mL
1	c. à thé	d'extrait de vanille	5 mL
2	tasses	d'avoine en gros flocons	500 mL

Préparation: Faire chauffer le four à 325 °F (160 °C) au réglage Convection. • Dans un bol, combiner le shortening et le sucre. Mélanger jusqu'à l'obtention d'une consistance légère et mousseuse. • Ajouter la farine et le sel. Bien battre. • Dissoudre le bicarbonate de soude dans l'eau et l'incorporer dans la pâte. • Ajouter la vanille. • Ajouter graduellement l'avoine au mélange. Si la pâte semble trop épaisse, ajouter un peu d'eau chaude. • Sur 3 tôles à biscuits légèrement graissées, déposer la pâte à l'aide d'une cuiller à soupe bien remplie et espacer d'environ 2 po (5 cm). • Aplatir complètement les galettes avec une fourchette trempée dans de l'eau chaude. • Les faire cuire à 325 °F (160 °C) au réglage Convection pendant 10 à 12 minutes jusqu'à ce qu'elles soient bien dorées et croustillantes.

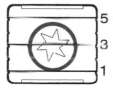

Mode de cuisson: Convection à 325 °F (160 °C) aux niveaux 1, 3 et 5.

Temps de cuisson: 10 à 12 minutes

Donne: Environ 40 galettes.

TABLEAU DE CUISSON DES DESSERTS AU FOUR À CONVECTION

Réglage de cuisson à : CUISSON AVEC CONVECTION OU CUISSON AVEC CONVECTION/AU FOUR

ALIMENT	DIMENSIONS DU RÉCIPIENT DE CUISSON	POSITION DE LA GRILLE	TEMPÉRATURE DU FOUR PRÉCHAUFFÉ	TEMPS APPROXIMATIF DE CUISSON
GÂTEAUX				
Individuels	Tôle simple	3	350 °F/175 °C	8-10 min
	Tôles multiples	1,3,5	350 °F/175 °C	10-12 min
Roulés	Tôle simple	3	375 °F/190 °C	8-10 min
	Tôles multiples	1,3,5	375 °F/190 °C	10-12 min
Gâteau au chocolat et aux noix	Moule carré 8- 9 po (20 - 23 cm)	2	325 °F/160 °C	35 min

NOTES

NOTES

La cuisson avec convection transforme les pâtes à tarte en chefs-d'oeuvre uniformément dorés et feuilletés. La croustillante croûte de la Tarte à l'érable, au miel et aux noix présentée à la page 88 n'offre qu'un avant-goût de la délicieuse garniture qu'elle renferme! Le four chauffé uniformément permet un gâteau roulé au citron, à la page 93, d'une texture délicieusement veloutée.

La taille, la forme et la finition des ustensiles de cuisson affectent la durée de cuisson et l'apparence de vos gâteaux favoris. Utilisez des plats en aluminium brillant pour réussir des gâteaux délicatement dorés, avec une croûte tendre. Les moules à tarte en métal de fini mat ou sans éclat produiront constamment des croûtes à tartes plus légères et plus feuilletées.

Comme pour la plupart des recettes utilisant la technique de cuisson avec convection, nous vous suggérons de surveiller le degré de cuisson avant la fin de la période de cuisson recommandée. Pour tester la cuisson des gâteaux, insérez une lame au centre. Si la lame en ressort propre, la cuisson est alors terminée. La cuisson d'une tarte est terminée lorsque le dessus est parfaitement bruni et que de légères bulles se forment dans la garniture.

convection
à la
Perfection!

TARTE À L'ÉRABLE, AU MIEL ET AUX NOIX

...un hommage spectaculaire à notre héritage culturel.

1		paq. (454 g) de pâte phyllo, décongelée	1
3/4	tasse	de beurre (ou de margarine), fondu	175 mL

Garniture:

1	tasse	de miel liquide	250 mL
1/4	tasse	de sirop d'érable	50 mL
2		oeufs	2
1	c. à soupe	de farine tout-usage	15 mL
1	c. à soupe	de beurre (ou de margarine), fondu	15 mL
1	c. à thé	d'extrait de vanille	5 mL
1/2	c. à thé	de cannelle	2 mL
1/4	c. à thé	de sel	1 mL
1 1/2	tasse	de morceaux de noix, légèrement grillées	375 mL

Glaçage:

2	c. à soupe	de miel liquide	25 mL
1	c. à soupe	de beurre (ou de margarine), fondu	15 mL

Préparation: Faire chauffer le four à 300 °F (145 °C) au réglage Convection/au four. • Graisser un moule à tarte de 10 po (25 cm) Réserver 10 feuilles de phyllo pour la croûte du dessus. Garnir le moule à tarte avec le reste des feuilles de phyllo, en badigeonnant chaque feuille avec le beurre fondu, et en les superposant dans le moule pour former le fond de la tarte. Rogner l'excédent de pâte et cranter les bords. • Combiner le miel, le sirop, les oeufs, la farine, le beurre, la vanille, la cannelle et le sel. Mélanger jusqu'à consistance lisse. • Incorporer les noix. Verser le mélange dans la croûte phyllo. • Pour la croûte supérieure, badigeonner une feuille de phyllo avec le beurre fondu. Dans le sens de la longueur, enrouler la feuille jusqu'à ce qu'elle soit d'environ 1/2 po (1 cm) d'épaisseur. Former une spirale serrée et la placer au centre de la tarte. Répéter avec les autres feuilles de phyllo, en plaçant les rouleaux en cercle autour de la première spirale, jusqu'à ce que toute la surface de la tarte soit couverte. • Faire cuire à 300 °F (145 °C) au réglage Convection/au four pendant 1 heure. • Entre-temps, combiner le miel et le beurre dans un bol. • Enlever la tarte du four et badigeonner avec le glaçage au miel. • Augmenter la température à 450 °F (230 °C) au réglage Convection/au four. Remettre la tarte dans le four et faire cuire environ 5 minutes jusqu'à ce que le dessus soit bien doré.

Mode de cuisson: Convection/au four à 300 °F (145 °C) au niveau 3 pour commencer. Augmenter ensuite la température à 450 °F (230 °C).

Temps de cuisson: 65 minutes.

Donne: 12 portions.

SUPERBES TARTELETTES AU BEURRE

*...une friandise royale avec une garniture juteuse sucrée,
dans une pâte feuilletée légère.*

		Suffisamment de pâte pour garnir 24 moules à muffins moyens (doubler la recette de la pâte, page 92)	
1	tasse	de raisins secs, ramollis	250 mL
1 1/2	tasse	de cassonade bien tassée	375 mL
1/2	tasse	de beurre fondu	125 mL
1/2	tasse	de sirop de maïs	125 mL
2		oeufs, légèrement battus	2
1	c. à thé	d'extrait de vanille	5 mL
2	c. à thé	de jus de citron	10 mL
3/4	tasse	de noix hachées	175 mL

Préparation: Faire chauffer le four à 400 °F (205 °C) au réglage Convection. • Sur une surface légèrement farinée, étaler la pâte. Couper des cercles suffisamment grands pour garnir des moules à muffins de taille moyenne. • Pour ramollir les raisins, les recouvrir d'eau bouillante et laisser reposer 5 minutes. Égoutter. • Dans un bol, combiner la cassonade, le beurre, le sirop de maïs, les oeufs, la vanille et le jus de citron. Mélanger légèrement. • Répartir les raisins et les noix de façon égale au fond des moules. • Remplir chaque moule aux deux tiers avec le mélange de sirop. • Faire cuire au réglage Convection à 400 °F (205 °C) pendant 5 minutes. • Réduire la température à 325 °F (160 °C) et continuer la cuisson pendant 12 à 15 minutes jusqu'à ce que la garniture soit ferme. • Refroidir sur une grille; ensuite, démouler les tartelettes. • Les servir chaudes avec une cuillerée de crème glacée à la vanille pour un goût encore plus délicieux.

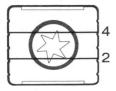

Mode de cuisson: Convection à 400 °F (205 °C) aux niveaux 2 et 4 pour commencer. Réduire ensuite la température à 325 °F (160 °C).

Temps de cuisson: 17 à 20 minutes.

Donne: 24 tartelettes.

TARTE AUX PÊCHES MELBA

...dégustez la saveur de l'été avec cet appétissant mélange de pêches et de framboises.

Pâte:

2	tasses	de farine tout-usage	500 mL
1/2	c. à thé	de sel	2 mL
3/4	tasse	de saindoux froid ou shortening	175 mL
4 à 6	c. à soupe	d'eau froide	50 à 75 mL

Garniture:

1		blanc d'oeuf	1
4	tasses	de pêches, en tranches minces, fraîches ou en conserve et égouttées	1 L
1	c. à soupe	de jus de citron frais	15 mL
1	tasse	de framboises, fraîches ou congelées, et décongelées	250 mL
3/4	tasse	de sucre granulé	175 mL
3	c. à soupe	de tapioca-minute	45 mL
1/4	c. à thé	de sel	1 mL
1	c. à soupe	de lait	15 mL
1	c. à thé	de sucre granulé	5 mL

Préparation: Dans un grand bol, combiner la farine et 1/2 c. à thé (2 mL) de sel. Y couper le saindoux jusqu'à ce que le mélange ressemble à une panure avec quelques morceaux plus gros. • Arroser le mélange de farine avec 4 c. à soupe (50 mL) d'eau froide et travailler la pâte sans tarder pour qu'elle soit homogène. Si la pâte n'est pas homogène, ajouter le reste de l'eau, un peu à la fois. • Former un disque. Envelopper et refroidir pendant au moins 30 minutes. • Laisser la pâte froide reposer à température ambiante pendant 15 minutes avant de l'étaler. • Faire chauffer le four à 350 °F (175 °C) au réglage Convection. • Sur une surface légèrement farinée, étaler la moitié de la pâte et en garnir un moule à tarte de 9 po (23 cm). • Badigeonner le blanc d'oeuf sur le fond et les parois du moule. • Dans un bol, combiner les pêches, le jus de citron, les framboises, 3/4 tasse (175 mL) de sucre, le tapioca et 1/4 c. à thé (1 mL) de sel. • Placer à la cuiller le mélange sur la pâte. • Étaler le reste de la pâte et la mettre sur la garniture. • Découper les rebords de la pâte et les cranter. Sur le dessus de la tarte, faire des incisions pour laisser échapper la vapeur. • Légèrement badigeonner la croûte supérieure avec du lait. Saupoudrer le dessus de la tarte avec 1 c. à thé (5 mL) de sucre, si désiré. • Faire cuire à 350 °F (175 °C) au réglage Convection pendant 45 à 55 minutes jusqu'à ce que la pâte soit bien dorée.

Mode de cuisson: Convection à 350 °F (175 °C) au niveau 3.

Temps de cuisson: 45 à 55 minutes.

Donne: 6 à 8 portions.

GÂTEAU ROULÉ AU CITRON

...un délice pour les amateurs de citron!

Garniture:

3		oeufs	3	
3/4	tasse	de sucre granulé	175	mL
1/3	tasse	de jus de citron frais	75	mL
		zeste d'un citron râpé		
1/4	tasse	de beurre ou de margarine	50	mL

Gâteau:

1	tasse	de farine à pâtisserie	250	mL
1	c. à thé	de poudre à lever	5	mL
1/4	c. à thé	de sel	1	mL
4		oeufs	4	
1	tasse	de sucre granulé	250	mL
1/4	tasse	d'eau	50	mL
1	c. à thé	de jus de citron frais	5	mL
		sucre glace		

Préparation: Dans une casserole, mélanger ensemble les oeufs et le sucre jusqu'à l'obtention d'un mélange homogène. • Incorporer en mélangeant le jus de citron, le zeste de citron et le beurre. Faire cuire à feu moyen-doux en remuant constamment jusqu'à ce que le mélange épaississe et nappe une cuiller. • Couvrir et laisser refroidir. Réfrigérer. • Faire chauffer le four à 375 °F (190 °C) au réglage Convection. • Mélanger ensemble la farine, la poudre à lever et le sel. Mettre de côté. • Dans un bol à mélanger, battre les oeufs jusqu'à ce que le mélange soit épais et de couleur citron, environ 5 minutes. • Ajouter graduellement le sucre. Battre jusqu'à consistance très épaisse. • Ajouter l'eau et le jus de citron; incorporer délicatement le mélange de farine. • Graisser une tôle à gâteau roulé de 15 x 10 po (40 x 25 cm) et garnir de papier paraffiné ou parchemin. Répartir le mélange sur la tôle. • Faire cuire à 375 °F (190 °C) au réglage Convection pendant 10 à 12 minutes jusqu'à ce que le gâteau remonte lorsqu'il est délicatement touché. • Après la cuisson, démouler immédiatement sur un torchon propre légèrement saupoudré de sucre glace. Détacher le papier. • Dans le sens de la largeur, rouler le gâteau avec le torchon. Laisser refroidir, la jointure en bas. • Dérouler le gâteau. Tartiner de garniture au citron. • Rouler de nouveau et mettre le gâteau sur le plat à servir, la jointure vers le bas. Saupoudrer le dessus de sucre glace.

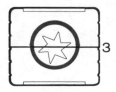

Mode de cuisson: Convection à 375 °F (190 °C) au niveau 3.

Temps de cuisson: 10 à 12 minutes.

Donne: 8 à 10 portions.

GÂTEAU AUX BANANES DE GRAND-MAMAN

...un délicieux gâteau, n'importe quand!

2/3	tasse	de shortening	150 mL
1 1/2	tasse	de cassonade bien tassée	375 mL
2		oeufs	2
1	c. à thé	d'extrait de vanille	5 mL
2/3	tasse	de lait sur ou babeurre	150 mL
2		bananes très mûres, moyennes, écrasées, environ 1 tasse (250 mL)	2
2	tasses	de farine tout-usage	500 mL
2	c. à thé	de poudre à lever	10 mL
1	c. à thé	de bicarbonate de soude	5 mL
1/2	c. à thé	de sel	2 mL
1/2	c. à thé	de cannelle	2 mL
1	c. à thé	de sucre granulé	5 mL
1/2	c. à thé	de cannelle	2 mL

Remarque: Pour faire du lait sur, mettre 1 c. à soupe (15 mL) de vinaigre dans une tasse à mesurer. Ajouter du lait frais jusqu'aux 2/3 de la tasse (150 mL).

Préparation: Faire chauffer le four à 325 °F (160 °C) au réglage Convection. • Dans un bol, combiner le shortening et le sucre. Battre jusqu'à consistance légère et mousseuse. • Incorporer les oeufs, un à la fois. • Ajouter la vanille, le lait sur et les bananes. Bien mélanger. • Combiner la farine, la poudre à lever, le bicarbonate de soude, le sel et 1/2 c. à thé (2 mL) de cannelle. Incorporer à la pâte et mélanger jusqu'à ce que les ingrédients soient bien combinés. • Verser le mélange dans un moule à cheminée de 12 tasses (3 L). • Faire cuire à 325 °F (160 °C) au réglage Convection pendant 35 à 45 minutes jusqu'à ce qu'un cure-dent inséré dans le gâteau en ressorte propre. • Après la cuisson, laisser le gâteau refroidir 10 minutes avant de le démouler. • Combiner 1/2 c. à thé (2 mL) de cannelle et 1 c. à thé (5 mL) de sucre granulé. • En saupoudrer sur le gâteau aux bananes.

Mode de cuisson: Convection à 325 °F (160 °C) au niveau 3.

Temps de cuisson: 35 à 45 minutes.

Donne: 12 portions.

TABLEAU DE CUISSON DES GÂTEAUX ET TARTES AU FOUR À CONVECTION

Réglage de cuisson à : CUISSON AVEC CONVECTION OU CUISSON AVEC CONVECTION/AU FOUR

ALIMENT	DIMENSIONS DU RÉCIPIENT DE CUISSON	POSITION DE LA GRILLE	TEMPÉRATURE DU FOUR PRÉCHAUFFÉ	TEMPS APPROXIMATIF DE CUISSON
GÂTEAUX				
	Moule rond ou carré 8 - 9 po (20 - 23 cm) Moule simple	2	325 °F/160 °C	30-35 min
	Moules multiples	2,4	325 °F/160 °C	30-35 min
	Moule rectangulaire 9 x 13 po (23 x 33 cm)	2	325 °F/160 °C	30-35 min
	Moule à cheminée 10 po (25 cm)	2	325 °F/160 °C	40-45 min
	Moule à petits gâteaux	2	325 °F/160 °C	20-25 min
	Moule à pain 9 x 5 po (23 x 13 cm)	2	325 °F/160 °C	50-60 min
	Moule à gâteaux des anges à fond amovible	2	325 °F/160 °C	35-40 min
TARTES				
Avec garniture	Simple 9 po (23 cm)	3	375 °F/190 °C	50-55 min
	Multiple 9 po (23 cm)	1,3,5	375 °F/190 °C	55-60 min
Sans garniture	Simple 9 po (23 cm)	3	375 °F/190 °C	8-10 min
	Multiple 9 po (23 cm)	1,3,5	375 °F/190 °C	8-10 min

NOTES

_____

_____

_____

_____

_____

GÂTEAUX ET TARTES

NOTES

INDEX DES RECETTES

INDEX DES RECETTES

convection
à la
Perfection!

POUR COMMANDER D'AUTRES EXEMPLAIRES DE CE LIVRE DE RECETTES, ÉCRIRE À :

Convection à la perfection
a/s Inglis Limitée
1901 Minnesota Court, Mississauga, Ontario, Canada L5N 3A7

Joindre un chèque ou un mandat de 14,95 $ par exemplaire,
(ce montant comprend les frais d'expédition, de manutention
et les taxes).

Spécifier le numéro de pièce 9780959. Accorder 3 à
6 semaines pour la livraison.

convection
Perfection!

⊗

TO ORDER ADDITIONAL COPIES OF THIS RECIPE BOOK, WRITE TO:

Convection Perfection
c/o Inglis Limited
1901 Minnesota Court, Mississauga, Ontario, Canada L5N 3A7

Please enclose cheque or money order for $ 14.95 per copy,
(includes mailing, handling and taxes).

Please quote Part No. 9780959. Allow 3 to 6 weeks for delivery.